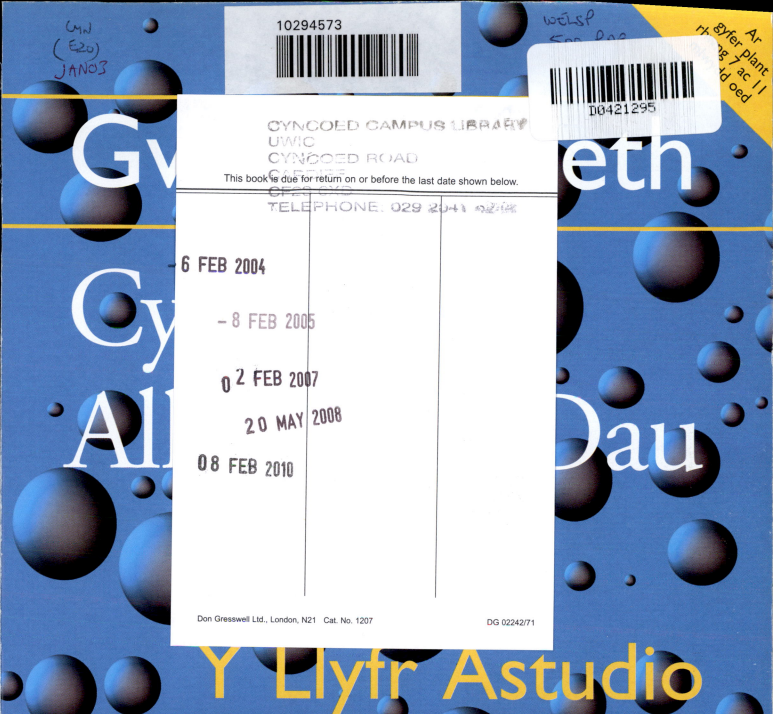

Ar gyfer plant rhwng 7 ac 11 oed

CMN (E20) JAN03

WELSP 500 PAR

Gwyddoniaeth

Cyfnod Allweddol Dau

Y Llyfr Astudio

Addasiad Cymraeg gan Carroll Hughes
Golygwyd gan Richard Parsons

CYNNWYS

Prosesau Bywyd a Phethau Byw

Adran 1 – Edrych ar Bethau Byw

Edrych ar Fywyd 1
Byw neu Farw 2
Adolygu Adran 1 3

Adran 2 – Planhigion

Planhigion 4
Maethiad 5
Twf 6
Rhannau Blodyn 7
Peilliad a Ffrwythloniad 8
Hadau 9
Ffrwythau a Hadau 10
Adolygu Adran 2 11

Adran 3 – Y Corff Dynol

Organau'r Corff Dynol 12
Sut Mae'r Corff Dynol yn Gweithio ... 13
Sgerbwd 14
Symud 15
Cylchrediad y Gwaed 16
Yr Ysgyfaint ac Anadlu 17
Dannedd 18
Cylchred Bywyd Bod Dynol 20
Byw'n Iach 22

Microbau a Chlefydau 24
Ymladd Clefydau 25
Adolygu Adran 3 26

Adran 4 – Amrywiad a Dosbarthiad

Dosbarthu Pethau Byw 27
Infertebratau 28
Grwpiau Planhigion 29
Defnyddio Allweddi 30
Adolygu Adran 4 31

Adran 5 – Pethau Byw yn eu Hamgylchedd

Lleoedd i Fyw 32
Addasu i Wres ac Oerni 33
Addasu i Ddŵr 34
Addasu i Gynefinoedd Eraill 35
Cadwynau Bwyd 36
Gweoedd Bwyd 39
Adolygu Adran 5 40
Geiriau Ffansi y dylech eu gwybod 41

Defnyddiau a'u Priodweddau

Adran 6 – Edrych ar Ddefnyddiau

Naturiol neu Synthetig 42
Cymharu Defnyddiau 44
Dargludyddion ac Ynysyddion Gwres ... 46
Dargludyddion ac Ynysyddion Trydan ... 47
Defnyddiau Magnetig 48
Pren 49
Plastigion 50
Ffabrigau 51
Gwydr 52
Metelau 53
Creigiau 54
Pridd 55
Solidau, Hylifau a Nwyon 56
Priodweddau Solidau, Hylifau a Nwyon .. 57
Adolygu Adran 6 58

Adran 7 – Newid Defnyddiau

Cymysgu Defnyddiau 59
Newidiadau Ffisegol 60
Newidiadau Cemegol 62
Y Gylchred Ddŵr 64
Adolygu Adran 7 66

Adran 8 – Gwahanu Cymysgeddau o Ddefnyddiau

Gwahanu Cymysgeddau o Ddefnyddiau .. 67
Trefn o Anhrefn 68
Esiamplau o Wahanu Cymysgeddau ... 69
Defnyddiau Hydawdd ac Anhydawdd ... 70
Adolygu Adran 8 71
Mwy o eiriau ffansi i chi eu dysgu 72

Prosesau Ffisegol

Adran 9 – Trydan

Trydan 73
Cylchedau Trydanol 74
Newid Cylchedau 76
Adolygu Adran 9 78

Adran 10 – Grymoedd

Grymoedd 79
Grym Ffrithiant a Gwrthiant Aer 80
Grym Disgyrchiant 81
Brigwth 82
Grymoedd Cytbwys 83
Grymoedd Anghytbwys 84
Adolygu Adran 10 85

Adran 11 – Goleuni a Sain

Ffynonellau Goleuni 86
Sut Gallwn Weld 87
Cysgodion 88
Drychau 89
Cynhyrchu Sain 90
Newid Sain 91
Adolygu Adran 11 92

Adran 12 – Y Ddaear a Thu Hwnt

Cysawd yr Haul 93
Y Lleuad 94
Y Cyfan Mewn Diwrnod 95
Blwyddyn 96
Adolygu Adran 12 97
Mwy o eiriau ffansi i chi eu dysgu 98

Gwyddoniaeth Arbrofol ac Ymchwiliol

Adran 13 – Cynnal Arbrawf

Ymchwilio 99
Cael Eich Canlyniadau 100
Arddangos Eich Canlyniadau 101
Fy Nghasgliadau 102
Adolygu Adran 13 103

Atebion a Mynegai

Atebion 104
Mynegai 107

Y fersiwn Saesneg:

Testun, dylunio, gosodiad ac arlunwaith © Richard Parsons 1998, 1999
Cyd-olygwyd gan Gemma Hallam BA(Anh)

Cyfranwyr
Paddy Gannon, Philip Goodyear, Tony Laukaitis, Lesley Lockhart a Ruso Bradley

Arlunwaith gan: Sandy Gardner   illustrations@sandygardner.co.uk
Cyhoeddwyd gan Coordination Group Publications
Cedwir y cyfan o'r hawliau.

Y fersiwn Cymraeg:

ⓗ Awdurdod Cymwysterau, Cwricwlwm ac Asesu Cymru 2001

Cyhoeddwyd y fersiwn Cymraeg gan:

Y Ganolfan Astudiaethau Addysg, Prifysgol Cymru Aberystwyth, Yr Hen Goleg, Aberystwyth, Ceredigion SY23 2AX.

ISBN   1 85644 579 8
Addasiad Cymraeg gan Carroll Hughes
Golygwyd a pharatowyd ar gyfer y wasg gan Marian Beech Hughes, Dafydd Kirkman, Eirian Jones a Glyn Saunders Jones

Dyluniwyd gan Enfys Beynon Jenkins
Clawr gan Ceri Jones

Aelodau'r Pwyllgor Monitro: Eleri Edwards, Ysgol Corn Hir, Llangefni, Ynys Môn.
                             Hefina Morris, Ysgol Gynradd Lôn Las, Llansamlet, Abertawe.

Argraffwyd gan Argraffwyr Cambria, Llanbadarn Fawr, Aberystwyth, Ceredigion

Edrych ar Fywyd

Beth mae *popeth* byw yn ei wneud?

1) Er fod *popeth byw* yn edrych yn wahanol i'w gilydd, *maen nhw i gyd yn gwneud saith proses bywyd.*
2) Mae anifeiliaid a phlanhigion yn cael eu galw'n *organebau byw.*
3) Dim ond os yw'n gwneud pob un o'r saith proses mae rhywbeth yn *fyw.*

Saith *Proses* Bywyd – Cofiwch – "*SASMYRT*"

1) *S* – *SYMUD* – *hyd yn oed ychydig bach*

Mae *anifeiliaid* fel arfer yn symud eu *corff i gyd* wrth symud o un lle i'r llall.
Mae dail yn troi *tuag at y golau.* Mae gwreiddiau yn *tyfu i lawr* i'r pridd.

2) *A* – *ATGENHEDLU* – *mae pethau byw yn cael rhai bach*

Mae *anifeiliaid* yn cael anifeiliaid bach.
Mae *planhigion* newydd yn tyfu o hadau.

3) *S* – *SENSITIF* – *ymateb i newid*

Mae pethau byw'n *sylwi ar newidiadau* o'u cwmpas ac yn *ymateb* iddyn nhw.
Mae planhigion yn tyfu tuag at y golau. Mae ci yn arogli ei fwyd ac yn rhedeg ato.

4) *M* – *MAETHIAD* – *bwyta*

Mae bwyd yn cael ei ddefnyddio i roi egni.
Mae planhigion gwyrdd yn cynhyrchu eu bwyd eu hunain drwy ddefnyddio goleuni'r haul.
Mae anifeiliaid yn bwyta planhigion neu anifeiliaid eraill.

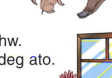

5) *Y* – *YSGARTHU* – *rhaid cael gwared o wastraff*

Rhaid *cael gwared* o *wastraff* o'r corff.
Mae angen i anifeiliaid a phlanhigion gael gwared o *nwy gwastraff a dŵr.*

6) *R* – *RESBIRADU* – *mae organebau byw yn weithredol*

Mae planhigion ac anifeiliaid yn defnyddio'r *ocsigen* sydd yn yr aer i *droi bwyd yn egni.*

7) *T* – *TYFU* – *mae popeth yn mynd yn fwy*

Mae *eginblanhigion* yn tyfu'n blanhigion mwy.
Mae *babanod* yn tyfu'n oedolion.

Ydych chi'n fyw? – cymerwch brawf bywyd...

Os yw'n fyw mae'n gwneud pob un o *saith proses bywyd,* boed yn blanhigyn, yn berson neu hyd yn oed yn bengwin. Ydych chi'n gwybod beth ydy'r saith proses eto? Os mai "Na" oedd eich ateb, edrychwch yn ôl a cheisiwch gofio llythrennau cyntaf "*SASMYRT*" – bydd yn gwneud eich bywyd yn haws o lawer – ond cofiwch wneud yn siŵr eich bod yn gwybod eu hystyr.

Byw neu Farw

Mae pethau byw wedi eu gwneud o gelloedd

Mae pob *organeb fyw* wedi ei gwneud o bethau bach iawn o'r enw *celloedd*. Gwnaed eich corff chi o filiynau o gelloedd. Mae'r rhan fwyaf o gelloedd yn llawer rhy fach i chi eu gweld gyda'ch llygaid, ond gallwch eu gweld gyda *microsgop*.

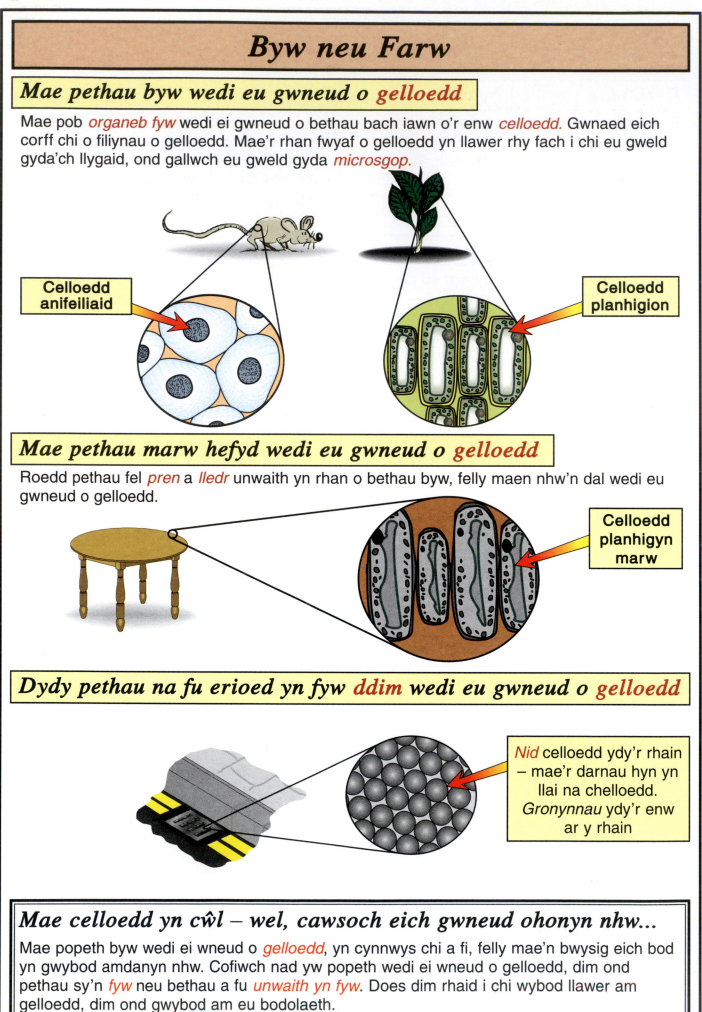

Celloedd
anifeiliaid

Celloedd
planhigion

Mae pethau marw hefyd wedi eu gwneud o gelloedd

Roedd pethau fel *pren* a *lledr* unwaith yn rhan o bethau byw, felly maen nhw'n dal wedi eu gwneud o gelloedd.

Celloedd
planhigyn
marw

Dydy pethau na fu erioed yn fyw *ddim* wedi eu gwneud o gelloedd

Nid celloedd ydy'r rhain – mae'r darnau hyn yn llai na chelloedd. *Gronynnau* ydy'r enw ar y rhain

Mae celloedd yn cŵl – wel, cawsoch eich gwneud ohonyn nhw...

Mae popeth byw wedi ei wneud o *gelloedd*, yn cynnwys chi a fi, felly mae'n bwysig eich bod yn gwybod amdanyn nhw. Cofiwch nad yw popeth wedi ei wneud o gelloedd, dim ond pethau sy'n *fyw* neu bethau a fu *unwaith yn fyw*. Does dim rhaid i chi wybod llawer am gelloedd, dim ond gwybod am eu bodolaeth.

Adolygu Adran 1

Felly, ydyn ni'r un fath â phlanhigion, pryfed genwair a llygod? Cyn belled ag mae prosesau bywyd yn y cwestiwn, ydyn! A faint o brosesau bywyd sydd yna? *Saith* wrth gwrs – meddyliwch am *SASMYRT*, a bydd yn help i chi gofio. Rhaid i chi gofio hefyd sut maen nhw'n gweithio – mae *DYSGU* yn eich helpu chi i wneud hyn. Peidiwch ag anghofio'r *celloedd*, y *planhigion* na'r *corff dynol* chwaith. Mae'r cyfan yn edrych yn llawer i'w ddysgu, ond os gwnewch chi ymarfer y cwestiynau hyn drosodd a throsodd nes gallwch eu hateb i gyd, byddwch yn iawn (felly, *peidiwch* â gadael allan y rhai *ANODD*). Iawn 'te – i ffwrdd â ni...

1) Enwch saith proses bywyd.

2) Sut y gallwch chi gofio enwau saith proses bywyd?

3) Sut y gallwch chi ddweud ydy rhywbeth yn *fyw*?

4) Ydy'r cartŵn uchod yn gywir neu'n anghywir?

5) Ym mha ffordd mae planhigion ac anifeiliaid yr *un fath*?

6) Pa broses bywyd sy'n dod â *bywyd newydd* i'r byd?

7) Pan ydych chi'n resbiradu, pa *nwy* sy'n cael ei ddefnyddio i droi *bwyd* yn *egni*?

8) Pa broses bywyd sy'n golygu "gwastraff yn cael ei *waredu* o'r corff"?

9) Mae popeth byw yn *sensitif* ac yn *tyfu*. Beth ydy ystyr hyn?

10) O ba bethau bach, bach y mae pob *organeb* wedi ei gwneud?

11) O beth y gwnaed pethau *marw*?

12) Cywir neu anghywir: "mae pethau na fu erioed yn fyw wedi eu gwneud o ronynnau bychain ond nid o gelloedd".

13) Yn y rhestr isod dwedwch ydy'r peth yn *fyw*, yn *farw* neu *erioed wedi byw*.
   a) Ci yn rhedeg i lawr y ffordd
   b) Cadair bren
   c) Rhaw haearn
   ch) Siaced ledr
   d) Siwmper gotwm
   dd) Afal ar goeden
   e) Bresychen sy'n pydru
   f) Potel wydr

Planhigion

Wedi eu hadeiladu i wneud saith proses bywyd

Mae yna *4 prif ran i blanhigyn*, i gyd wedi eu creu i wneud saith proses bywyd. (Gweler Tud. 1).

1) Blodau

– er mwyn *ATGENHEDLU*

Mae ganddyn nhw *liw* ac *arogl* i ddenu pryfed.
Maen nhw'n creu *paill* (celloedd rhywiol gwrywol) sy'n uno gyda'r wyau (celloedd rhywiol benywol). Mae rhan o'r blodyn yn marw ac mae'r hyn sydd ar ôl yn datblygu'n ffrwyth newydd gyda *hadau*.

2) Dail

– er mwyn cael *MAETH (bwydo)*.

Mae'r *cloroffyl gwyrdd* yn y dail yn defnyddio golau'r haul i droi nwy carbon deuocsid a dŵr yn *fwyd* – yr enw ar hyn ydy *ffotosynthesis*.
Felly, mae dail yn bwysig i roi *MAETH (bwyd)* ac i *YSGARTHU (cael gwared o wastraff)*.

3) Coesyn

– er mwyn *DAL a SYMUD* y planhigyn tuag at y golau.

Mae'n cario *dŵr* a *mwynau* o'r *gwreiddiau* i *weddill y planhigyn*.

4) Gwreiddiau

– mae'r rhain yn *ANGORI'R PLANHIGYN* yn y ddaear rhag iddo gael ei chwythu i ffwrdd.

Mae ganddyn nhw *wreiddflew* i *amsugno'r dŵr* a'r *mwynau* o'r pridd.
Mae'r gwreiddiau yn angenrheidiol felly ar gyfer *MAETHIAD (bwydo)*.

Gwreiddflew

Planhigion – mae mwy i blanhigion na blodau hardd...

Y syniad ydy i chi *ddysgu* popeth ar y dudalen – does 'na ddim ffordd arall amdani. Cymerwch *un* rhan o'r planhigyn ar y tro ac edrychwch pa un o brosesau bywyd ydy ei waith. Yna, *cuddiwch* yr wybodaeth o dan y pennawd i weld faint allwch chi ei *gofio*.

Maethiad

Rhaid i anifeiliaid *symud* a *chwilio* am eu bwyd, ond rhaid i blanhigion gwyrdd aros mewn *un man* a gwneud eu *bwyd* eu hunain … clyfar iawn yn wir.

Mae planhigion gwyrdd yn gwneud bwyd drwy ddefnyddio golau'r Haul

Yr enw ar y tric clyfar hwn ydy *ffotosynthesis*

Ffoto synthesis

Golau   Gwneud rhywbeth

1) Ystyr *FFOTOSYNTHESIS* yw defnyddio *golau* i wneud bwyd.

2) Mae ffotosynthesis yn digwydd mewn *dail gwyrdd*.

3) Mae'r *CLOROFFYL* yn y dail gwyrdd yn defnyddio *GOLAU* i newid *nwy CARBON DEUOCSID* a *DŴR* yn fwyd ac ocsigen.

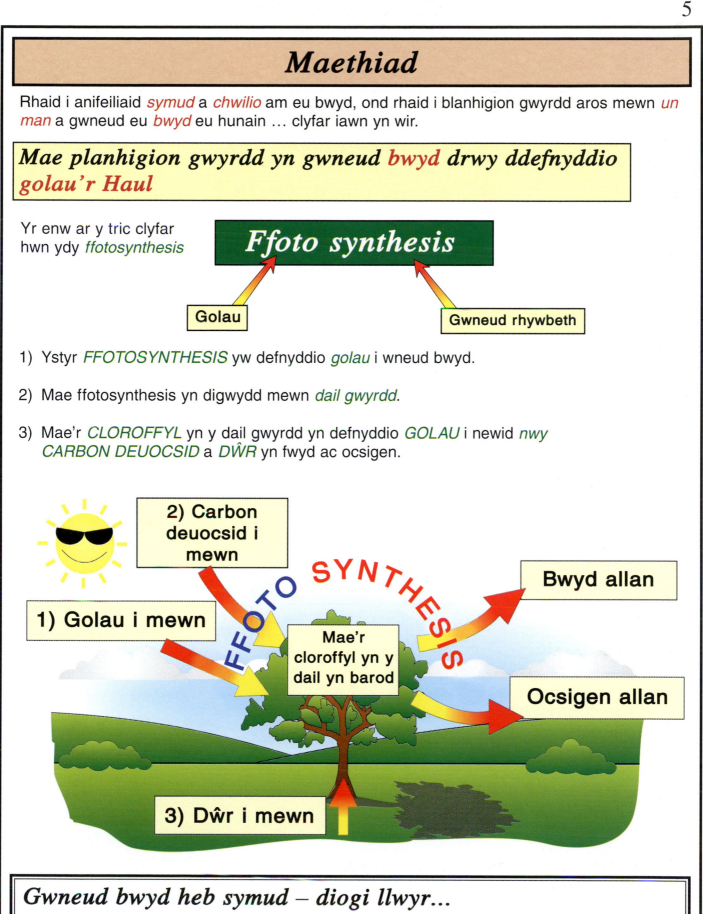

1) Golau i mewn

2) Carbon deuocsid i mewn

FFOTO SYNTHESIS

Mae'r cloroffyl yn y dail yn barod

Bwyd allan

Ocsigen allan

3) Dŵr i mewn

Gwneud bwyd heb symud – diogi llwyr…

Meddyliwch am y peth – cael yr holl fwyd fyddech chi fyth ei angen wrth ddim ond eistedd, *torheulo* a chymryd *dŵr* a *charbon deuocsid* i mewn. Maen nhw ar gael yn y wlad hon bob amser – wel, mae'r haul yn gwenu weithiau! Dyna'r bywyd brafiaf o ddigon, dybiwn i. Mae *ffotosynthesis* a *cloroffyl* yn eiriau mawr ond peidiwch â'u hofni. Ystyr ffotosynthesis yw defnyddio golau i wneud rhywbeth, a chloroffyl yw'r *defnydd gwyrdd* mewn dail sy'n gwneud hynny.

Twf

Tyfu planhigion *iach*

1. Mae planhigion yn gwneud eu *bwyd* eu hunain (siwgrau) drwy ddefnyddio aer (carbon deuocsid) a dŵr.

2. Ond i fod yn ffit ac yn iach mae arnyn nhw angen *sylweddau eraill* hefyd.

3. Mae planhigion yn cymryd *mwynau* sydd yn y *dŵr* yn y pridd i mewn drwy'r gwreiddiau.

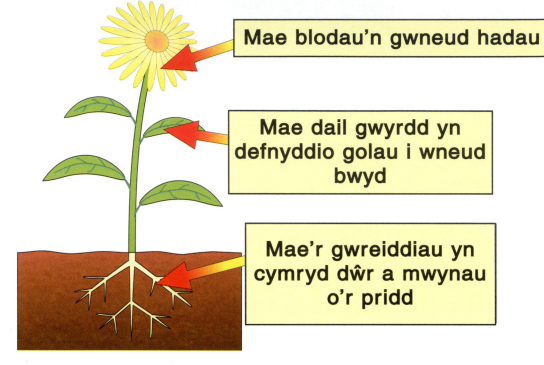

Mae blodau'n gwneud hadau

Mae dail gwyrdd yn defnyddio golau i wneud bwyd

Mae'r gwreiddiau yn cymryd dŵr a mwynau o'r pridd

Mae *mwynau'n bwysig iawn* i'r planhigyn

1) Mae arnyn nhw angen maetholynnau (mwynau er enghraifft) er mwyn i'r planhigyn dyfu'n *gryf* ac *iach*.

2) Mae planhigion yn tyfu drwy ddefnyddio *mwynau* (pethau da) yn y pridd.

3) Os nad yw planhigion yn cael yr holl *fwynau* sydd eu hangen arnyn nhw, maen nhw'n melynu, yn colli eu lliw, yn mynd yn denau neu yn rhy dal.

4) Mae *gwrteithiau* (bwyd planhigion) yn cael eu hychwanegu i'r pridd i wneud yn siŵr fod y planhigyn yn cael yr holl *faetholynnau* mae ei angen.

Ewch yn ôl i'ch gwreiddiau...

Cofiwch, dydy'r planhigyn ddim yn cael ei fwyd o'r pridd – mae'n gwneud ei fwyd ei hun yn y dail. Cofiwch fod ar y planhigyn angen *dŵr*, neu bydd yn gwywo. Cofiwch fod ar blanhigyn angen *mwynau* hefyd. Cofiwch sut mae planhigion *yn edrych* os ydyn nhw mewn pridd gwael a beth i'w roi iddyn nhw *i'w gwella*.

Rhannau Blodyn

Dydy planhigyn ddim yn byw am byth, felly mae'n rhaid iddo wneud *planhigion newydd*. Yr enw ar hyn ydy *atgenhedlu.*

Mae'r organau atgenhedlu y tu mewn i'r blodyn

1) Y *blodyn* sy'n gyfrifol am wneud planhigion newydd.

2) Yn y blodyn mae'r paill a'r wyau i wneud hadau.

3) Mae'r *hadau'n* tyfu yn blanhigion newydd.

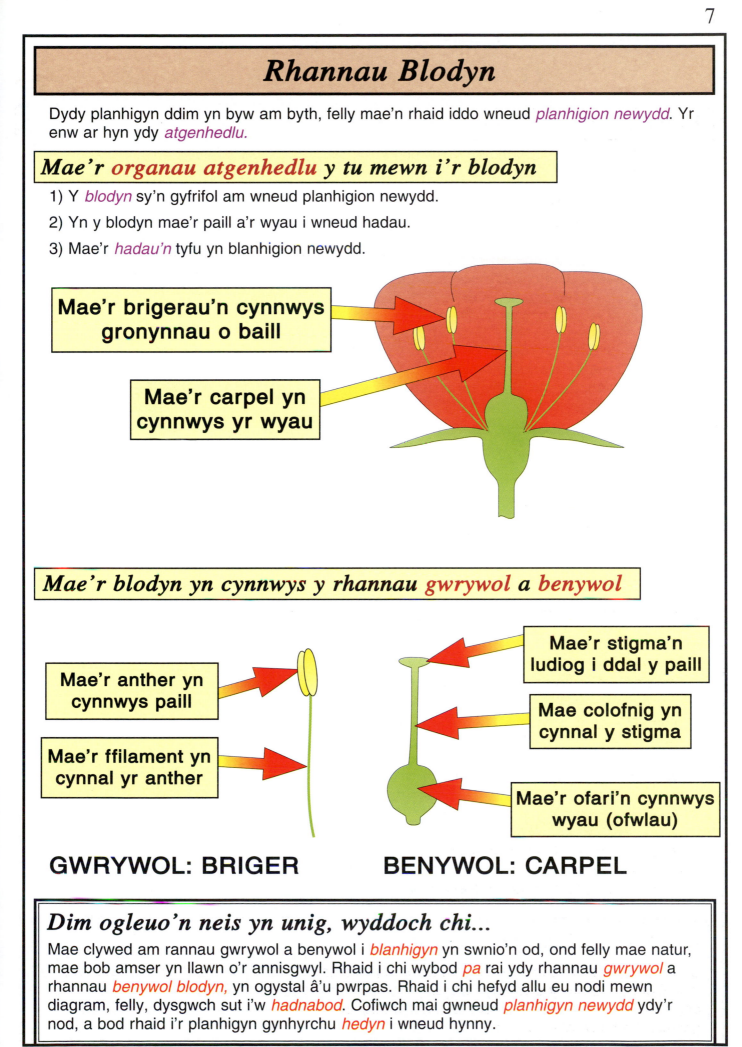

Mae'r brigerau'n cynnwys gronynnau o baill

Mae'r carpel yn cynnwys yr wyau

Mae'r blodyn yn cynnwys y rhannau gwrywol a benywol

Mae'r anther yn cynnwys paill

Mae'r ffilament yn cynnal yr anther

Mae'r stigma'n ludiog i ddal y paill

Mae colofnig yn cynnal y stigma

Mae'r ofari'n cynnwys wyau (ofwlau)

GWRYWOL: BRIGER

BENYWOL: CARPEL

Dim ogleuo'n neis yn unig, wyddoch chi...

Mae clywed am rannau gwrywol a benywol i *blanhigyn* yn swnio'n od, ond felly mae natur, mae bob amser yn llawn o'r annisgwyl. Rhaid i chi wybod *pa* rai ydy rhannau *gwrywol* a rhannau *benywol blodyn,* yn ogystal â'u pwrpas. Rhaid i chi hefyd allu eu nodi mewn diagram, felly, dysgwch sut i'w *hadnabod.* Cofiwch mai gwneud *planhigyn newydd* ydy'r nod, a bod rhaid i'r planhigyn gynhyrchu *hedyn* i wneud hynny.

Peilliad a Ffrwythloniad

Peilliad ydy paill yn glanio ar y stigma gludiog

Mae cario paill i'r rhannau benywol yn weddol syml.
Mae'n digwydd mewn dwy ffordd anturus. Ymlaen â chi....

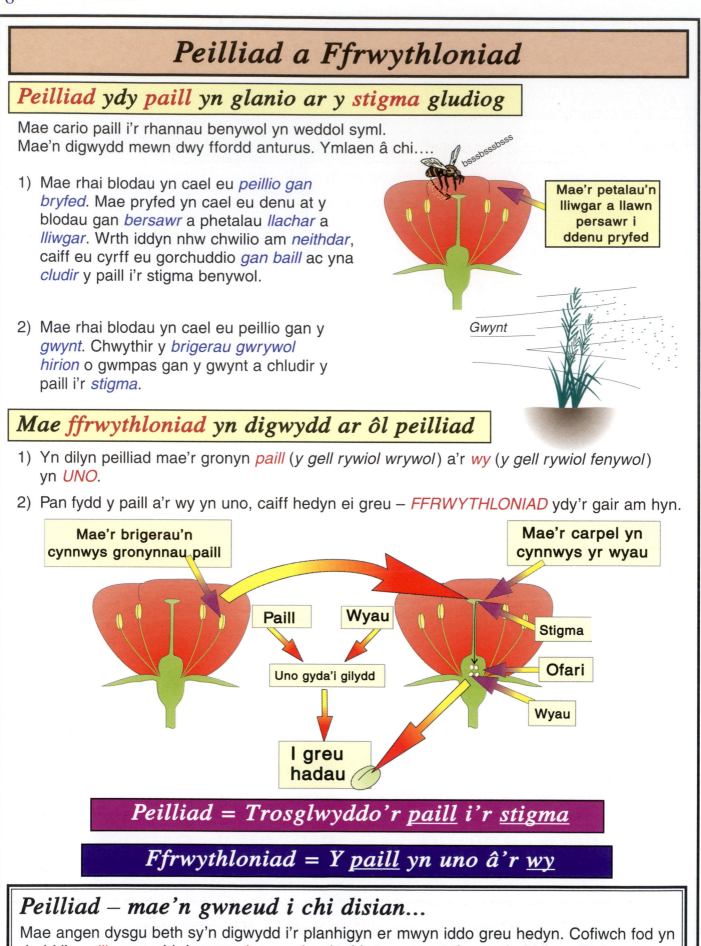

1) Mae rhai blodau yn cael eu *peillio gan bryfed*. Mae pryfed yn cael eu denu at y blodau gan *bersawr* a phetalau *llachar* a *lliwgar*. Wrth iddyn nhw chwilio am *neithdar*, caiff eu cyrff eu gorchuddio *gan baill* ac yna *cludir* y paill i'r stigma benywol.

Mae'r petalau'n lliwgar a llawn persawr i ddenu pryfed

2) Mae rhai blodau yn cael eu peillio gan y *gwynt*. Chwythir y *brigerau gwrywol hirion* o gwmpas gan y gwynt a chludir y paill i'r *stigma*.

Gwynt

Mae ffrwythloniad yn digwydd ar ôl peilliad

1) Yn dilyn peilliad mae'r gronyn *paill* (*y gell rywiol wrywol*) a'r *wy* (*y gell rywiol fenywol*) yn *UNO*.

2) Pan fydd y paill a'r wy yn uno, caiff hedyn ei greu – *FFRWYTHLONIAD* ydy'r gair am hyn.

Mae'r brigerau'n cynnwys gronynnau paill

Mae'r carpel yn cynnwys yr wyau

Paill

Wyau

Stigma

Uno gyda'i gilydd

Ofari

Wyau

I greu hadau

Peilliad = Trosglwyddo'r paill i'r stigma

Ffrwythloniad = Y paill yn uno â'r wy

Peilliad – mae'n gwneud i chi disian...

Mae angen dysgu beth sy'n digwydd i'r planhigyn er mwyn iddo greu hedyn. Cofiwch fod yn rhaid i'r *paill* gyrraedd rhannau *benywol* y planhigyn yn gyntaf, yna rhaid i'r *paill* a'r *wy uno gyda'i gilydd*. Cofiwch fod dwy ffordd i'r paill gyrraedd y stigma. Mae blodau sy'n defnyddio'r *ddwy* ffordd wahanol hyn hefyd yn tueddu i edrych ychydig yn wahanol. Allwch chi gofio ym mha ffordd maen nhw'n wahanol?

Hadau

Mae'r wy sydd wedi'i ffrwythloni yn tyfu'n *hedyn*

1) Mae'r blodyn yn *marw* ac yn gadael *ffrwyth* sy'n cynnwys *hadau* ar ôl.

2) Mae'r *ofari*'n datblygu'n *ffrwyth* ac yn cynnwys yr *hadau*.

3) Mae rhai ffrwythau'n feddal ac yn llawn sudd ac mae rhai yn sych a chaled.

Petalau'n marw

Ofari'n cynnwys hadau ac yn datblygu'n ffrwyth

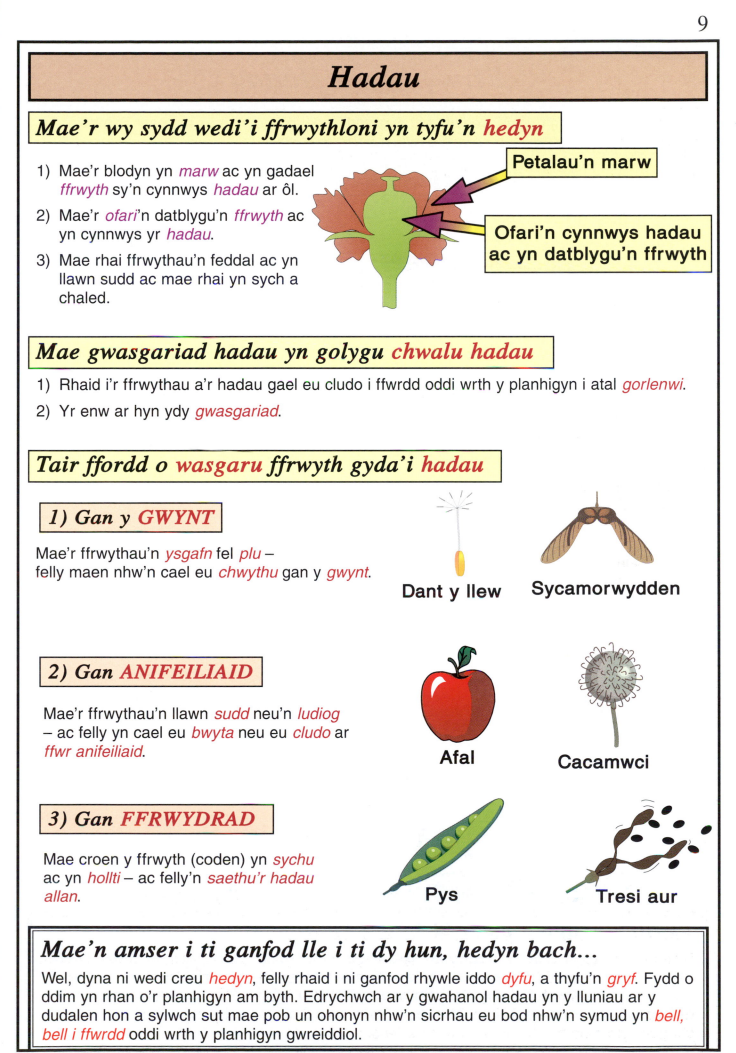

Mae gwasgariad hadau yn golygu *chwalu hadau*

1) Rhaid i'r ffrwythau a'r hadau gael eu cludo i ffwrdd oddi wrth y planhigyn i atal *gorlenwi*.

2) Yr enw ar hyn ydy *gwasgariad*.

Tair ffordd o *wasgaru* ffrwyth gyda'i *hadau*

1) Gan y GWYNT

Mae'r ffrwythau'n *ysgafn* fel *plu* – felly maen nhw'n cael eu *chwythu* gan y *gwynt*.

Dant y llew **Sycamorwydden**

2) Gan ANIFEILIAID

Mae'r ffrwythau'n llawn *sudd* neu'n *ludiog* – ac felly yn cael eu *bwyta* neu eu *cludo* ar *ffwr anifeiliaid*.

Afal **Cacamwci**

3) Gan FFRWYDRAD

Mae croen y ffrwyth (coden) yn *sychu* ac yn *hollti* – ac felly'n *saethu'r hadau allan*.

Pys **Tresi aur**

Mae'n amser i ti ganfod lle i ti dy hun, hedyn bach...

Wel, dyna ni wedi creu *hedyn*, felly rhaid i ni ganfod rhywle iddo *dyfu*, a thyfu'n *gryf*. Fydd o ddim yn rhan o'r planhigyn am byth. Edrychwch ar y gwahanol hadau yn y lluniau ar y dudalen hon a sylwch sut mae pob un ohonyn nhw'n sicrhau eu bod nhw'n symud yn *bell, bell i ffwrdd* oddi wrth y planhigyn gwreiddiol.

Ffrwythau a Hadau

Unwaith mae'r paill a'r wyau wedi dod at ei gilydd i wneud *hadau*, mae'n amser i'r hadau symud ymlaen gyda'r gwaith pwysig o dyfu'n *blanhigion newydd*.

Mae *eginiad* yn digwydd pan fydd hadau'n dechrau tyfu

Rhaid i hadau gael *tri pheth* i *egino*

1) Cynhesrwydd

2) Aer (Ocsigen)

3) Dŵr

Pan fydd yr amodau'n addas – bydd hedyn yn *egino*

Hedyn yn cracio a gwraidd yn tyfu

1) Mae *gwreiddyn* bychan yn tyfu *i lawr* i'r pridd.

Cyffyn a gwreiddyn yn dechrau tyfu gan ddefnyddio'i storfa fwyd ei hun

2) *Cyffyn* bychan yn tyfu *i fyny* tuag at y *golau*.

Dail gwyrdd yn datblygu. Gall y planhigyn yn awr gyflawni ffotosynthesis

3) Mae'n tyfu *dail* wedyn fel y gall ddechrau gwneud ei *fwyd* ei hun.

Does *dim angen golau* ar hadau i egino

Does *dim angen* golau ar hadau i egino (dechrau tyfu) oherwydd fod gan hedyn ei *storfa fwyd* ei hun. Mae hyn yn ei helpu i dyfu *nes* bydd ei ddail wedi datblygu.

Egino – geni o'r newydd

Wel, dyna'r gwaith caled yna drosodd o'r diwedd. Mae'r hedyn wedi glanio ar y ddaear ac mae'n amser iddo dyfu. Yn gyntaf, rhaid i chi ddeall beth sydd ar hedyn ei *angen* i egino – cynhesrwydd, dŵr ac aer. Wedyn rhaid i chi ddeall beth sy'n *digwydd* pan fydd yn egino. Cofiwch fod ganddo *storfa fwyd* fel y gall dyfu gwraidd, blagur a dail cyn y bydd yn rhaid iddo *wneud* unrhyw fwyd.

Adolygu Adran 2

Heb *blanhigion gwyrdd* fyddai yna ddim bywyd ar y Ddaear, gan na fyddai yna ddigon o *ocsigen*. Felly'r tro nesaf y gwelwch goeden, dywedwch 'Diolch' wrthi hi....jôc!!! Sut bynnag, ymlaen â chi gyda'r adolygu, a *pheidiwch ag osgoi'r cwestiynau anodd*....

1) Enwch 4 rhan bwysig planhigyn.
2) Sut mae *anifeiliaid* a *phlanhigion* yn wahanol yn eu ffordd o gael bwyd?
3) Beth ydy ystyr *ffotosynthesis*?
4) Pa *nwy* sy'n cael ei *ddefnyddio* mewn ffotosynthesis?
5) Pa *nwy* sy'n cael ei *gynhyrchu* mewn ffotosynthesis?
6) Ym mha *ran* o'r planhigyn y mae *ffotosynthesis* yn digwydd *fwyaf*: (*blodyn*, *gwraidd*, *dail*)?
7) Pryd y mae ffotosynthesis yn digwydd: yn ystod y *dydd* neu yn y *nos*?

8) Pa *ddau* beth mae gwreiddiau yn eu cymryd o'r *pridd*?
9) Pam mae angen mwynau ar blanhigion?
10) Ym mha *ran* o'r planhigyn mae'r *organau atgenhedlu*?
11) Gyda beth mae'n rhaid i'r *wy* uno i wneud *hedyn*?
12) Pan fydd paill yn disgyn ar y stigma, ai *peilliad* ynteu *ffrwythloniad* ydy hyn?
13) Beth sy'n digwydd *gyntaf,* peilliad neu ffrwythloniad?
14) Sut mae paill yn mynd o'r *anther* i'r *stigma*? (Mae *dwy* ffordd.)
15) Beth sy'n *denu* pryfed at flodyn? (Mae *dau* beth.)
16) Pam mae *pryf* eisiau mynd at *flodyn*: am beth mae'n *chwilio*? (Cliw – mae'n felys).
17) Dydy blodau sy'n cael eu peillio gan *wynt* ddim yn gwneud *neithdar*. *Pam*?
18) *Disgrifiwch* betalau blodyn *sy'n cael ei beillio gan wynt*: (mawr neu fach, di-liw neu liwgar, persawrus neu ddim yn bersawrus).
19) Pam mae stigma'n *ludiog*?
20) Pan fydd paill yn uno ag wy, ai *peilliad* ynteu *ffrwythloniad* ydy hyn?
21) Pan fydd *wy sydd wedi ei ffrwythloni'n* dod yn *hedyn*, beth sy'n digwydd i'r *blodyn*?
22) *Ar ôl* ffrwythloniad, beth sy'n digwydd i'r *ofari*?
23) Beth mae *gwasgariad* yn ei atal: (drewi corfforol, gorlenwi, neu germau rhag byw)?
24) Beth yw'r *tair ffordd* o *wasgaru* ffrwythau a hadau?
25) Beth sy'n digwydd i *groen ffrwyth* pys pêr fel y gall yr hadau gael eu *gwasgaru*?
26) Ym mha *ran* o'r planhigyn mae *hadau*'n cael eu gwneud: (*blodyn*, *gwraidd*, *dail*)?
27) Beth yw *eginiad*: *gwlad*, salwch neu hedyn yn *dechrau tyfu*?
28) Enwch *dri o bethau* mae ar hadau eu hangen i egino.
29) A oes angen *golau* ar hadau i egino?

Y CORFF DYNOL

Organau'r Corff Dynol

Prif organau'r corff dynol

Rhan o'r corff sy'n gwneud gwaith arbennig ydy organ. Mae organau wedi eu gwneud o gelloedd bach. Yn y diagram hwn dangosir rhai o organau pwysica'r corff a'u gwaith.

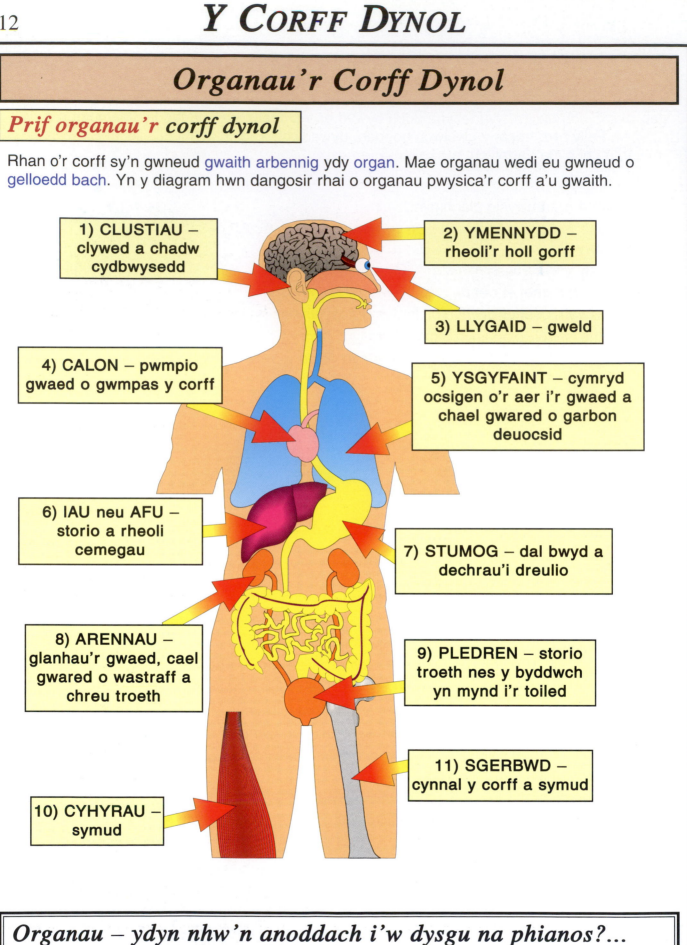

1) CLUSTIAU – clywed a chadw cydbwysedd

2) YMENNYDD – rheoli'r holl gorff

3) LLYGAID – gweld

4) CALON – pwmpio gwaed o gwmpas y corff

5) YSGYFAINT – cymryd ocsigen o'r aer i'r gwaed a chael gwared o garbon deuocsid

6) IAU neu AFU – storio a rheoli cemegau

7) STUMOG – dal bwyd a dechrau'i dreulio

8) ARENNAU – glanhau'r gwaed, cael gwared o wastraff a chreu troeth

9) PLEDREN – storio troeth nes y byddwch yn mynd i'r toiled

10) CYHYRAU – symud

11) SGERBWD – cynnal y corff a symud

Organau – ydyn nhw'n anoddach i'w dysgu na phianos?...

Rydw i'n gwybod eich bod chi eisiau llwyddo, ond wnes i ddim dweud ei bod yn mynd i fod yn hawdd. Mae tipyn o waith dysgu yma – felly, cymerwch *ddau* o'r organau ar y tro a dysgu popeth amdanyn nhw – *lle* maen nhw yn y corff a *beth* ydy eu gwaith. Wedyn cymerwch ddau arall a gwneud yr un peth. Cyn pen dim, byddwch wedi dysgu ble mae pob un o organau'r corff a beth ydy eu gwaith.

Sut mae'r Corff Dynol yn Gweithio

Mae'r corff yn gwneud pedwar peth sylfaenol

1) Mae eich corff yn cymryd BWYD ac OCSIGEN o'r awyr.

3) Mae celloedd y corff yn defnyddio'r bwyd rydyn ni'n ei fwyta, a'r ocsigen rydyn ni'n ei anadlu i mewn, i gael egni. Mae sylweddau gwastraff yn cael eu rhoi'n ôl i'r gwaed.

2) Mae'r gwaed yn cario bwyd ac ocsigen i GELLOEDD Y CORFF.

4) Mae'r gwaed yn cario'r gwastraff i'r ysgyfaint a'r arennau gael gwared ohono.

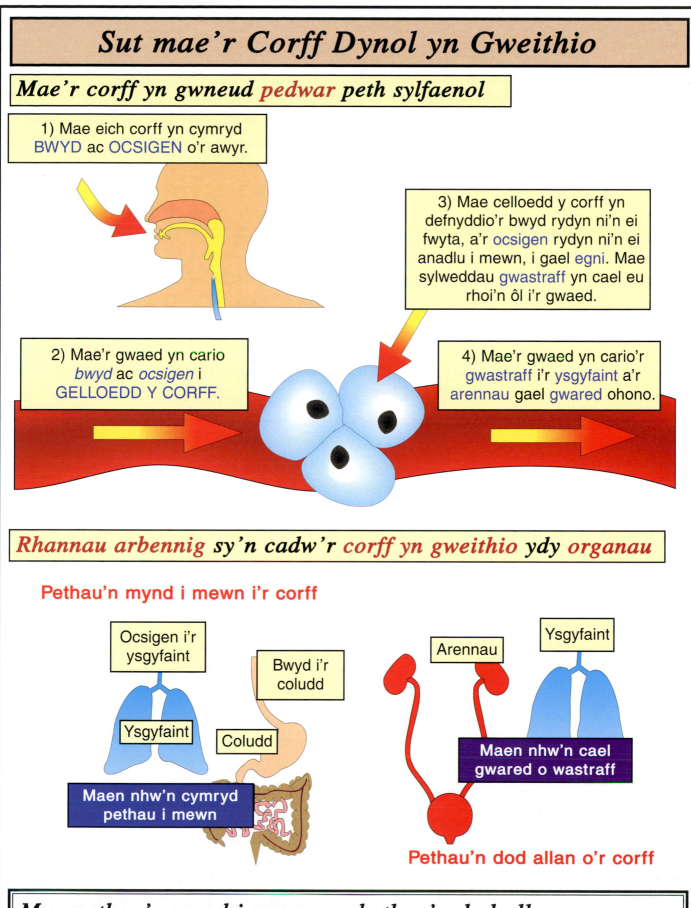

Rhannau arbennig sy'n cadw'r corff yn gweithio ydy organau

Pethau'n mynd i mewn i'r corff

Ocsigen i'r ysgyfaint

Bwyd i'r coludd

Ysgyfaint

Coludd

Arennau

Ysgyfaint

Maen nhw'n cymryd pethau i mewn

Maen nhw'n cael gwared o wastraff

Pethau'n dod allan o'r corff

Mae pethau'n mynd i mewn, a phethau'n dod allan...

Mae popeth mae'r corff yn ei wneud i'w weld yma: mae pethau'n mynd i mewn a phethau'n dod allan. Sylwch ar gynnwys y labeli a'r diagram sy'n dangos sut mae'r cyfan yn gweithio. Yn olaf, cofiwch pa fath o *wastraff* mae'r corff yn ei wneud a *sut* mae'n cael gwared ohono. Hwyl i chi ar y dysgu. ☺

Sgerbwd

Mae gennych sgerbwd tu fewn i'ch corff

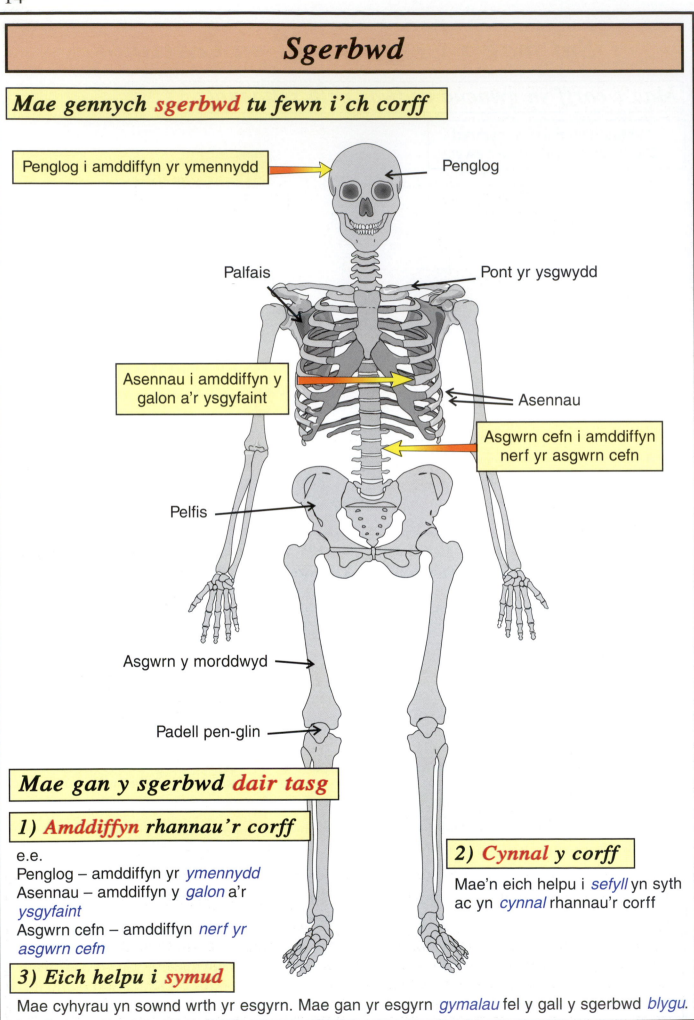

Penglog i amddiffyn yr ymennydd

Penglog

Palfais

Pont yr ysgwydd

Asennau i amddiffyn y galon a'r ysgyfaint

Asennau

Asgwrn cefn i amddiffyn nerf yr asgwrn cefn

Pelfis

Asgwrn y morddwyd

Padell pen-glin

Mae gan y sgerbwd dair tasg

1) Amddiffyn rhannau'r corff

e.e.
Penglog – amddiffyn yr *ymennydd*
Asennau – amddiffyn y *galon* a'r *ysgyfaint*
Asgwrn cefn – amddiffyn *nerf yr asgwrn cefn*

2) Cynnal y corff

Mae'n eich helpu i *sefyll* yn syth ac yn *cynnal* rhannau'r corff

3) Eich helpu i symud

Mae cyhyrau yn sownd wrth yr esgyrn. Mae gan yr esgyrn *gymalau* fel y gall y sgerbwd *blygu*.

Symud

Mae cyhyrau a chymalau yn caniatáu symud

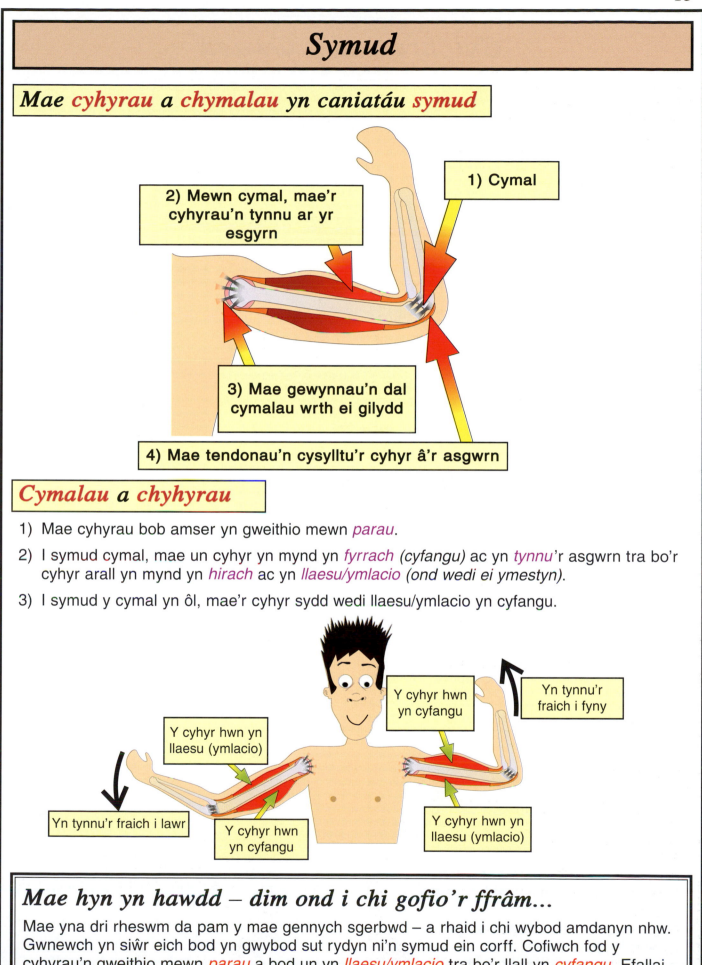

1) Cymal

2) Mewn cymal, mae'r cyhyrau'n tynnu ar yr esgyrn

3) Mae gewynnau'n dal cymalau wrth ei gilydd

4) Mae tendonau'n cysylltu'r cyhyr â'r asgwrn

Cymalau a chyhyrau

1) Mae cyhyrau bob amser yn gweithio mewn *parau*.

2) I symud cymal, mae un cyhyr yn mynd yn *fyrrach (cyfangu)* ac yn *tynnu*'r asgwrn tra bo'r cyhyr arall yn mynd yn *hirach* ac yn *llaesu/ymlacio (ond wedi ei ymestyn)*.

3) I symud y cymal yn ôl, mae'r cyhyr sydd wedi llaesu/ymlacio yn cyfangu.

Y cyhyr hwn yn llaesu (ymlacio)

Y cyhyr hwn yn cyfangu

Yn tynnu'r fraich i fyny

Yn tynnu'r fraich i lawr

Y cyhyr hwn yn cyfangu

Y cyhyr hwn yn llaesu (ymlacio)

Mae hyn yn hawdd – dim ond i chi gofio'r ffrâm...

Mae yna dri rheswm da pam y mae gennych sgerbwd – a rhaid i chi wybod amdanyn nhw. Gwnewch yn siŵr eich bod yn gwybod sut rydyn ni'n symud ein corff. Cofiwch fod y cyhyrau'n gweithio mewn *parau* a bod un yn *llaesu/ymlacio* tra bo'r llall yn *cyfangu*. Efallai fod hyn yn swnio'n anodd, ond meddyliwch amdano, ac mi ddylech ddeall sut mae'n gweithio. Ceisiwch wylio'r cyhyrau yn eich braich wrth i chi ei symud i fyny ac i lawr.

Cylchrediad y Gwaed

Gwaed a'r galon ydy system cylchrediad y gwaed

Mae system cylchrediad yn swnio fel system draffig mewn dinas, ond eich *gwaed*, eich *pibellau gwaed* a'ch *calon* chi ydyw ac mae'n bwysig iawn. Dysgwch y tair ffaith hyn:

1) Mae gwaed yn symud *bwyd* ac *ocsigen* o gwmpas y corff.
2) Mae'n *cylchredeg* o gwmpas y corff drwy dri math o bibellau gwaed: *rhydwelïau*, *gwythiennau* a *chapilarïau*.
3) Mae'r galon yn pwmpio'r gwaed drwy'r pibellau gwaed fel bod ocsigen yn cyrraedd *celloedd* y corff i gyd.

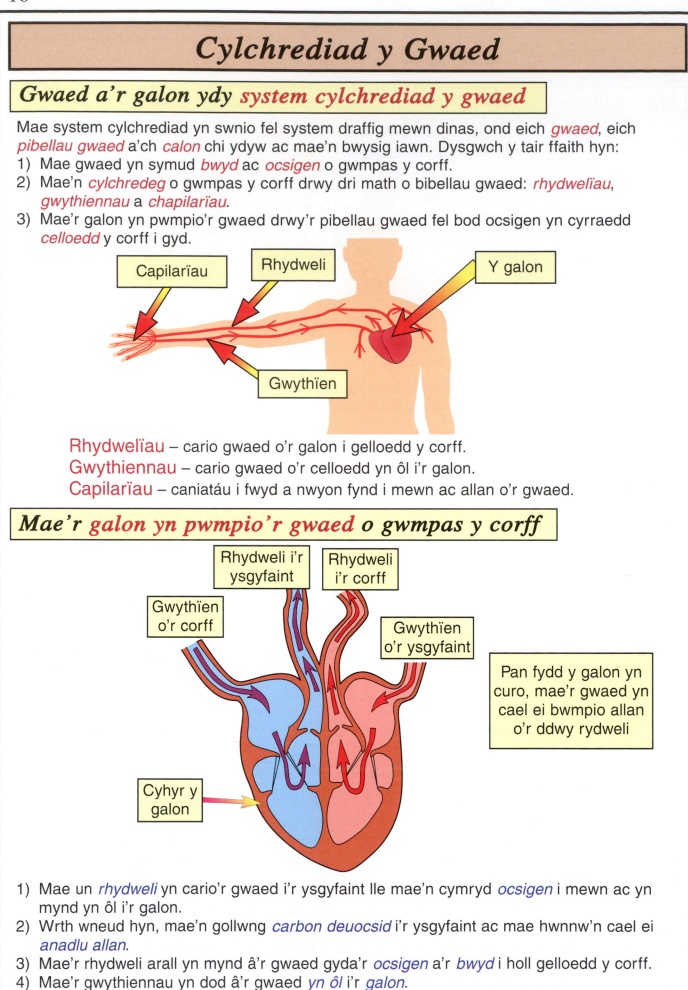

Capilarïau

Rhydweli

Y galon

Gwythïen

Rhydwelïau – cario gwaed o'r galon i gelloedd y corff.
Gwythiennau – cario gwaed o'r celloedd yn ôl i'r galon.
Capilarïau – caniatáu i fwyd a nwyon fynd i mewn ac allan o'r gwaed.

Mae'r galon yn pwmpio'r gwaed o gwmpas y corff

Rhydweli i'r ysgyfaint

Rhydweli i'r corff

Gwythïen o'r corff

Gwythïen o'r ysgyfaint

Pan fydd y galon yn curo, mae'r gwaed yn cael ei bwmpio allan o'r ddwy rydweli

Cyhyr y galon

1) Mae un *rhydweli* yn cario'r gwaed i'r ysgyfaint lle mae'n cymryd *ocsigen* i mewn ac yn mynd yn ôl i'r galon.
2) Wrth wneud hyn, mae'n gollwng *carbon deuocsid* i'r ysgyfaint ac mae hwnnw'n cael ei *anadlu allan*.
3) Mae'r rhydweli arall yn mynd â'r gwaed gyda'r *ocsigen* a'r *bwyd* i holl gelloedd y corff.
4) Mae'r gwythiennau yn dod â'r gwaed *yn ôl* i'r *galon*.
5) Mae'r galon tu fewn i *gawell yr asennau,* sy'n ei hamddiffyn.

Yr Ysgyfaint ac Anadlu

Codennau aer mawr ydy'r ysgyfaint

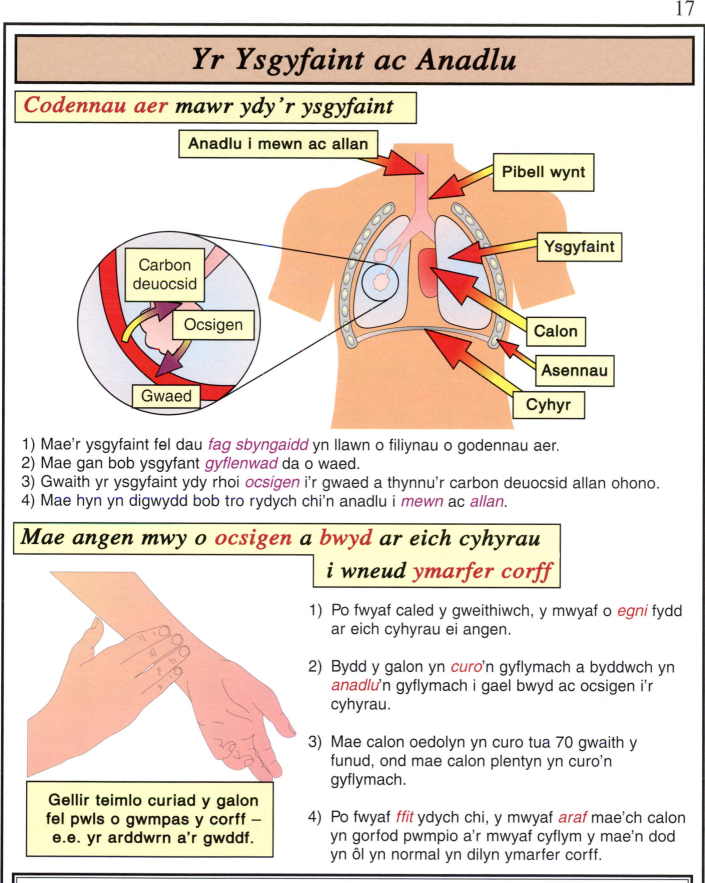

Anadlu i mewn ac allan

Pibell wynt

Carbon deuocsid

Ocsigen

Gwaed

Ysgyfaint

Calon

Asennau

Cyhyr

1) Mae'r ysgyfaint fel dau *fag sbyngaidd* yn llawn o filiynau o godennau aer.
2) Mae gan bob ysgyfant *gyflenwad* da o waed.
3) Gwaith yr ysgyfaint ydy rhoi *ocsigen* i'r gwaed a thynnu'r carbon deuocsid allan ohono.
4) Mae hyn yn digwydd bob tro rydych chi'n anadlu i *mewn* ac *allan*.

Mae angen mwy o *ocsigen* a *bwyd* ar eich cyhyrau i wneud *ymarfer corff*

Gellir teimlo curiad y galon fel pwls o gwmpas y corff – e.e. yr arddwrn a'r gwddf.

1) Po fwyaf caled y gweithiwch, y mwyaf o *egni* fydd ar eich cyhyrau ei angen.

2) Bydd y galon yn *curo*'n gyflymach a byddwch yn *anadlu*'n gyflymach i gael bwyd ac ocsigen i'r cyhyrau.

3) Mae calon oedolyn yn curo tua 70 gwaith y funud, ond mae calon plentyn yn curo'n gyflymach.

4) Po fwyaf *ffit* ydych chi, y mwyaf *araf* mae'ch calon yn gorfod pwmpio a'r mwyaf cyflym y mae'n dod yn ôl yn normal yn dilyn ymarfer corff.

Curiad calon – rhythm bywyd...

Pwmp mawr sy'n symud *gwaed* o gwmpas ein corff ydy'r galon. Rhaid i chi wybod pam y mae angen i'r gwaed gael ei bwmpio o gwmpas yr *holl* gorff bob amser. Mae yna rai geiriau newydd yma mae'n rhaid i chi eu dysgu. Mae'ch calon yn curo'n gyflymach ar ôl i chi fod yn gwneud ymarfer corff gan ei bod wedi gorfod gweithio'n galetach i bwmpio mwy o waed o gwmpas. Mesurwch eich pwls pan fyddwch yn eistedd, yna mesurwch eich pwls eto ar ôl bod yn ymarfer yn y wers ymarfer corff.

Dannedd

Mae dannedd yn eich helpu i *dorri*, *rhwygo* a *malu eich bwyd yn fân* cyn i chi ei lyncu. Mae bodau dynol yn *hollysyddion* (maen nhw'n bwyta planhigion ac anifeiliaid) ac mae eu dannedd wedi eu cynllunio i fwyta'r rhan fwyaf o'r gwahanol fathau o fwyd.

Mae gan fodau dynol *dri math* o ddannedd

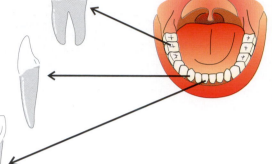

CILDDANNEDD – Dannedd ôl i *wasgu* a *malu* bwyd yn fân.

DANNEDD LLYGAD
Mewn anifeiliaid sy'n bwyta cig, cathod a chŵn er enghraifft, maen nhw'n hir ac yn finiog ac yn cael eu defnyddio i *drywanu* ac i *afael* mewn bwyd.

BLAENDDANNEDD –
Brathu a *thorri* bwyd ydy gwaith y blaenddannedd.

Caiff bodau dynol *ddwy set* o ddannedd yn ystod eu bywyd

1) Dannedd sugno (tua 20 o ddannedd) Defnyddir y rhain o 6 mis oed hyd tua 5 mlwydd oed

2) Dannedd parhaol (tua 32 o ddannedd) Defnyddir y rhain o 5 mlwydd oed hyd…
gan ddibynnu sut fyddwch yn gofalu amdanyn nhw.

Mae dannedd yn wahanol mewn *anifeiliaid* eraill

Mae gan y *CIGYSYDDION* (*bwytwyr cig*) ddannedd sy'n addas i ladd anifeiliaid eraill ac i rwygo cnawd. Mae'r dannedd llygad yn hir a miniog i afael yn dynn mewn cnawd. Mae'r cilddannedd yn gallu cracio a malu esgyrn yn fân.

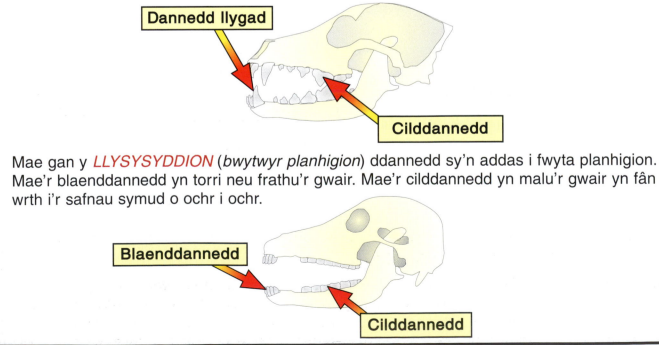

Dannedd llygad

Cilddannedd

Mae gan y *LLYSYSYDDION* (*bwytwyr planhigion*) ddannedd sy'n addas i fwyta planhigion. Mae'r blaenddannedd yn torri neu frathu'r gwair. Mae'r cilddannedd yn malu'r gwair yn fân wrth i'r safnau symud o ochr i ochr.

Blaenddannedd

Cilddannedd

Dannedd

Mae bacteria'n gwneud i ddannedd bydru

Ymosodir ar yr enamel caled oddi allan gan asid

Dentin meddal tu fewn

Gwraidd yn y deintgig

1) Mae siwgr sy'n cael ei adael yn y geg ar ôl bwyta yn cael ei fwyta gan *facteria*.

2) Mae'r bacteria yn gorchuddio'r dannedd gyda deunydd gwyn gludiog o'r enw *PLAC*.

3) Mae'r plac yn cynnwys *asid* sy'n pydru enamel y dant a gwanhau'r dannedd.

Pum ffordd o ofalu am eich dannedd

Past dannedd

PAST DA

1) *Brwsio*'r dannedd o leiaf ddwy waith y dydd i gael gwared o'r plac.

Brwsio

2) *Defnyddio edau ddeintiol* – mae'n cael gwared o'r plac a'r darnau bwyd mae bacteria'n bwydo arnyn nhw.

edau ddeintiol

3) Yfed *dŵr* sy'n cynnwys *fflworid* – yn ôl rhai gwyddonwyr mae hyn yn cadw'r dannedd yn gryf.

Dŵr

4) Ymweld â'r deintydd i atal y dannedd rhag pydru.

Deintydd

Llaeth

Ffrwythau a llysiau

5) Bwyta'r *bwyd iawn* (dim gormod o felysion, digon o foron, yfed llaeth).

Rhowch eich dannedd yn hwn...

Dyna ddwy dudalen ffantastig ar ddannedd – digon o luniau bywiog i wneud dysgu am ddannedd *yn hawdd*. Ond fe ddylech wybod popeth am hynny'n barod. Mae pawb call yn gwybod sut i edrych ar ôl eu dannedd, fe fyddai'n ddrwg iawn hebddyn nhw. Gwenwch!.....

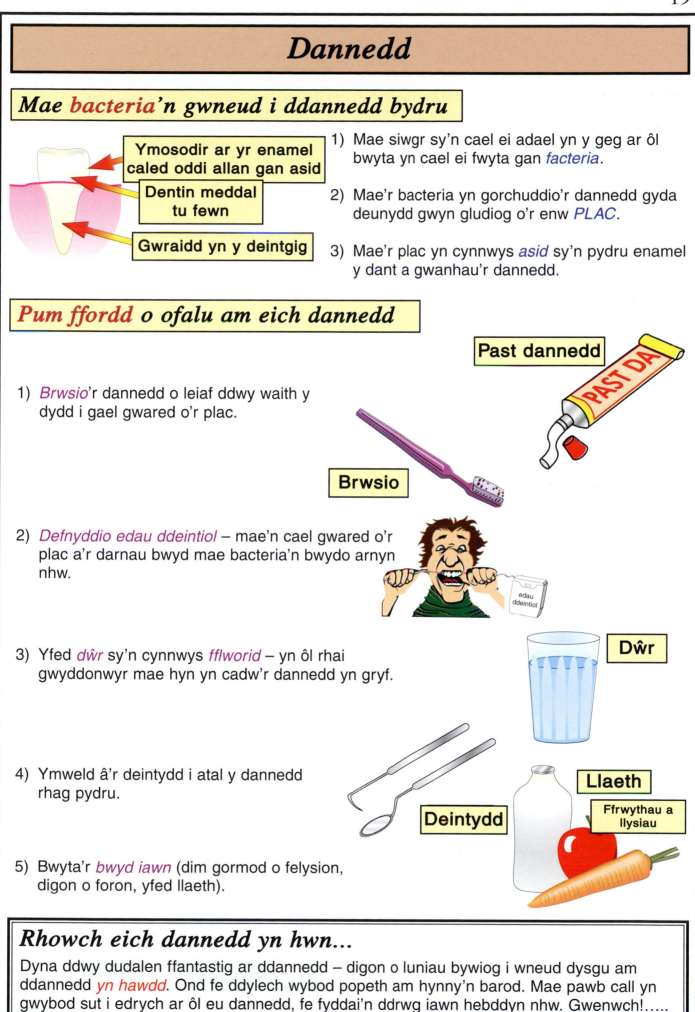

Cylchred Bywyd Bod Dynol

Mae atgenhedlu yn cynhyrchu babanod

1) Dydy anifeiliaid ddim yn byw am byth. Rhaid i fwy gael eu creu i gymryd lle'r rhai sy'n marw.

2) Caiff mwy o anifeiliaid eu creu drwy *atgenhedlu*.

3) Mae baban yn tyfu o *gell fechan* yn y fam.

4) Mae'r gell yn cael ei chreu pan fydd *wy* y tu fewn i'r fam yn cael ei ffrwythloni gan *sberm* o'r tad.

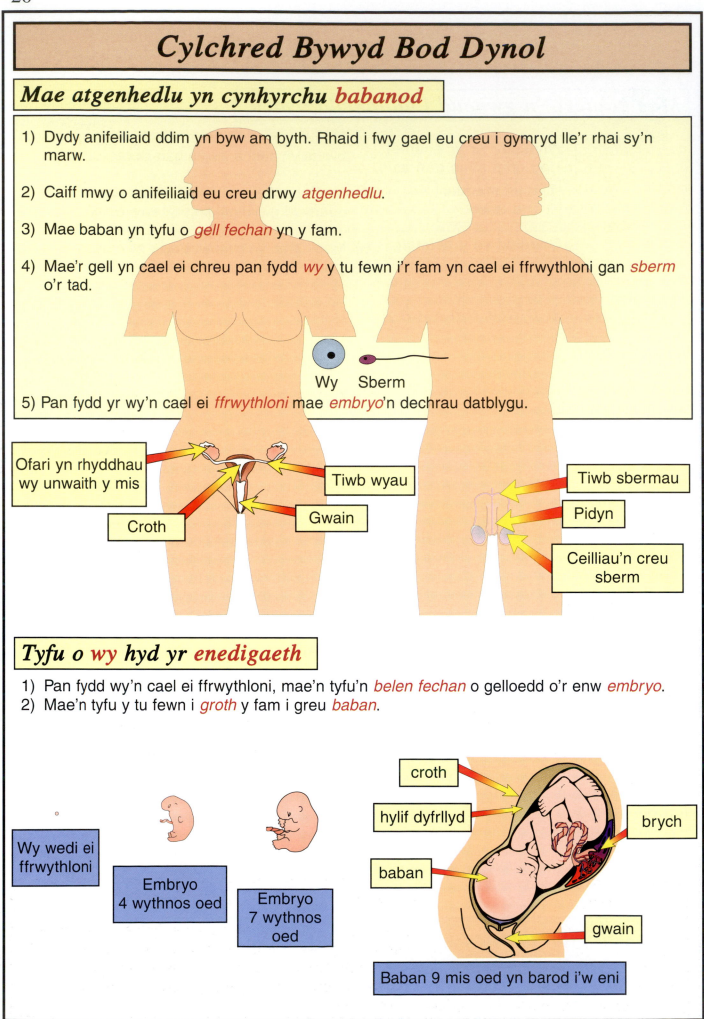

Wy   Sberm

5) Pan fydd yr wy'n cael ei *ffrwythloni* mae *embryo*'n dechrau datblygu.

Ofari yn rhyddhau wy unwaith y mis

Croth

Tiwb wyau

Gwain

Tiwb sbermau

Pidyn

Ceilliau'n creu sberm

Tyfu o wy hyd yr enedigaeth

1) Pan fydd wy'n cael ei ffrwythloni, mae'n tyfu'n *belen fechan* o gelloedd o'r enw *embryo*.
2) Mae'n tyfu y tu fewn i *groth* y fam i greu *baban*.

Wy wedi ei ffrwythloni

Embryo 4 wythnos oed

Embryo 7 wythnos oed

croth

hylif dyfrllyd

baban

brych

gwain

Baban 9 mis oed yn barod i'w eni

Cylchred Bywyd Bod Dynol

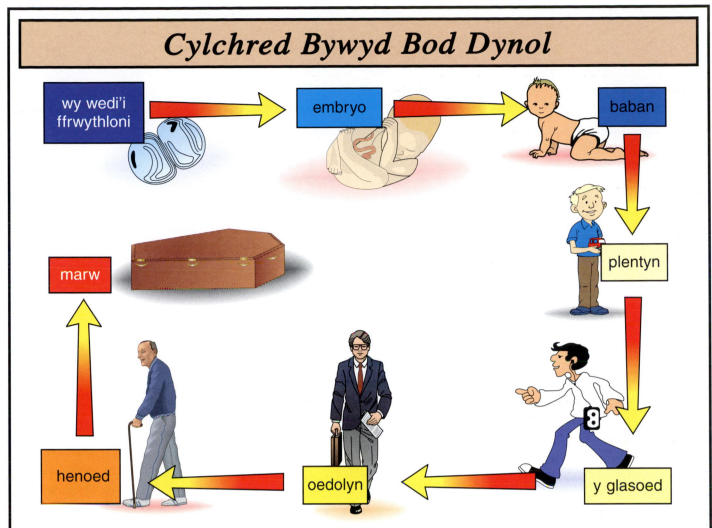

Glasoed ydy'r cyfnod pan fydd y corff yn datblygu

1) Mae'r glasoed yn digwydd rhwng 10 a 18 oed.
2) Yng nghyfnod y glasoed mae cyrff bechgyn a merched yn dechrau newid.

Merched

1. *Blew* yn dechrau tyfu ar eu cyrff.
2. *Bronnau'n* datblygu a'r *cluniau'n* lledu.
3. *Ofarïau* yn dechrau rhyddhau *cell wy*.
4. Colli gwaed yn digwydd yn fisol. Mae hwn yn dod o leinin y groth sy'n chwalu os nad oes wy wedi ei ffrwythloni. Yr enw ar hyn yw'r *mislif*.

Bechgyn

1) *Blew* yn dechrau tyfu ar eu cyrff.
2) *Blew* hefyd yn dechrau tyfu ar eu *hwynebau*.
3) *Ceilliau* yn dechrau cynhyrchu *sberm*.

Cylchred bywyd – o'r crud i'r bedd...

Yr hyn i'w gofio yma ydy fod rhaid i anifeiliaid *newydd* gael eu geni neu fyddai yna ddim ar ôl wedi i'r hen rai farw. Cofiwch fod anifeiliaid yn *newid* wrth iddyn nhw dyfu. Mae babanod bychan yn hollol ddibynnol ar eu rhieni am bob dim, ond fe allwch chi wneud llawer drosoch eich hunan, gobeithio. Rhaid i chi wybod am y newidiadau sy'n digwydd i fechgyn a merched wrth fynd drwy flynyddoedd y glasoed.

Byw'n Iach

I gadw'n ffit ac i edrych yn iach rhaid i chi:
1) *Bwyta*'n gall;   2) Gwneud *ymarfer corff* yn rheolaidd;   3) Osgoi *peryglon iechyd* diangen.

Mae'r bwyd cywir yn bwysig i gael corff iach

1) Rhaid cael *diet cytbwys*.
2) Diet cytbwys yw *cymysgedd* o'r *saith* math hyn o fwyd:

Carbohydradau   Brasterau   Mwynau

Proteinau   Ffibr   Fitaminau   Dŵr

Grŵp bwyd	Pam yr angen	Ym mha fwydydd
Carbohydradau 1) Startsh	Egni	Bara Pasta Grawnfwyd Reis
Carbohydradau 2) Siwgrau		Bisgedi Cacennau Melysion
Proteinau	Twf celloedd a'u hatgyweirio	Pysgod Cig Llaeth Wyau
Brasterau	Egni	Llaeth, Caws Menyn Olew coginio Cig
Fitaminau a Mwynau	Celloedd iach	Ffrwythau Llysiau Cynhyrchion llaeth
Ffibr	Helpu'r bwyd i symud trwy'r coluddion	Bara grawn cyflawn Grawnfwyd Ffrwythau Llysiau
Dŵr	Dŵr ydy 70% o'r corff	Diodydd (Rhai bwydydd)

Mae ymarfer yn bwysig i gael corff iach

Oherwydd:
1) Mae'n cryfhau'r *cyhyrau*.
2) Mae'n datblygu'r *ysgyfaint*.
3) Mae'n helpu datblygiad *cydsymud* y corff (*fel y gallwch daflu a dal*).
4) Mae'n defnyddio *bwyd* i gael egni ac yn atal y corff rhag mynd yn dew.
5) Mae'n gallu eich helpu i *gysgu* yn y nos.

Byw'n Iach

Mae *cymryd siawns gyda'ch iechyd* yn gallu niweidio'r *corff*

Ysmygu

Mae hyn yn achosi trawiad ar y galon, rhydwelïau'n culhau, canser yr ysgyfaint ac anawsterau anadlu. Mae tybaco'n cynnwys nicotîn sy'n gwneud i bobl fynd yn ddibynnol arno.

Toddyddion

Mae arogli glud a phaent yn hynod o beryglus. Mae'n niweidio'r ymennydd ac yn gwneud i bobl fynd yn ddibynnol arnynt.

Alcohol

Dydy yfed ychydig o alcohol ddim mor niweidiol ag ysmygu, ond mae'n arafu eich adweithiau. Mae yfed yn drwm yn niweidio'r iau/afu, y galon a'r stumog. Mae'n achosi pwysedd gwaed uchel.

Cyffuriau

Gall y rhain fod yn beryglus o'u camddefnyddio. Mae llawer yn gwneud i bobl fynd yn ddibynnol arnynt. Gallant niweidio'r ymennydd (neu waeth).

Byddwch fyw'n hir – a llwyddo...

Rhaid i chi wybod am gadw'n *iach*: bwyta'r bwyd iawn, cadw'n glir oddi wrth gyffuriau a thoddyddion peryglus, sylweddoli bod ysmygu ac yfed alcohol yn gallu niweidio eich corff, ac ymarfer digon. Peidiwch ag anghofio *pam* y mae'r holl bethau hyn yn dda neu'n ddrwg i chi.

Microbau a Chlefydau

Pethau byw bychain iawn ydy microbau

1) Ni ellir gweld microbau neu'r *micro-organebau* ond drwy'r *microsgop*.

2) Mae yna filiynau o ficrobau yn y *pridd*, yn yr *aer*, mewn *dŵr* a hyd yn oed yn y *corff dynol*.

3) Mae rhai microbau yn DDEFNYDDIOL a rhai'n NIWEIDIOL.

4) *Microbau* ydy bacteria a firysau.

firws

bacteria

Yr enw anwyddonol ar y rhain yw "*germau*"

Mae microbau defnyddiol yn gwneud gwaith pwysig

2) Mae bacteria yn pydru organebau marw ac yn rhoi maetholynnau yn y pridd i helpu i blanhigion dyfu.

1) Bacteria sy'n helpu i wneud finegr, caws a iogwrt.

3) Microb ydy burum: caiff ei ddefnyddio i wneud cwrw a bara.

(Diolch byth nad oes yna gyrff marw dan draed ym mhobman)

Gall microbau niweidiol achosi clefydau

1) Maen nhw'n achosi *clefydau* ac *afiechyd*: y ffliw, annwyd, y frech goch, brech yr ieir, Aids, tetanws, etc.

2) Mae microbau yn achosi *dannedd drwg* (pydredd dannedd!!).

Pedair ffordd o wasgaru clefyd

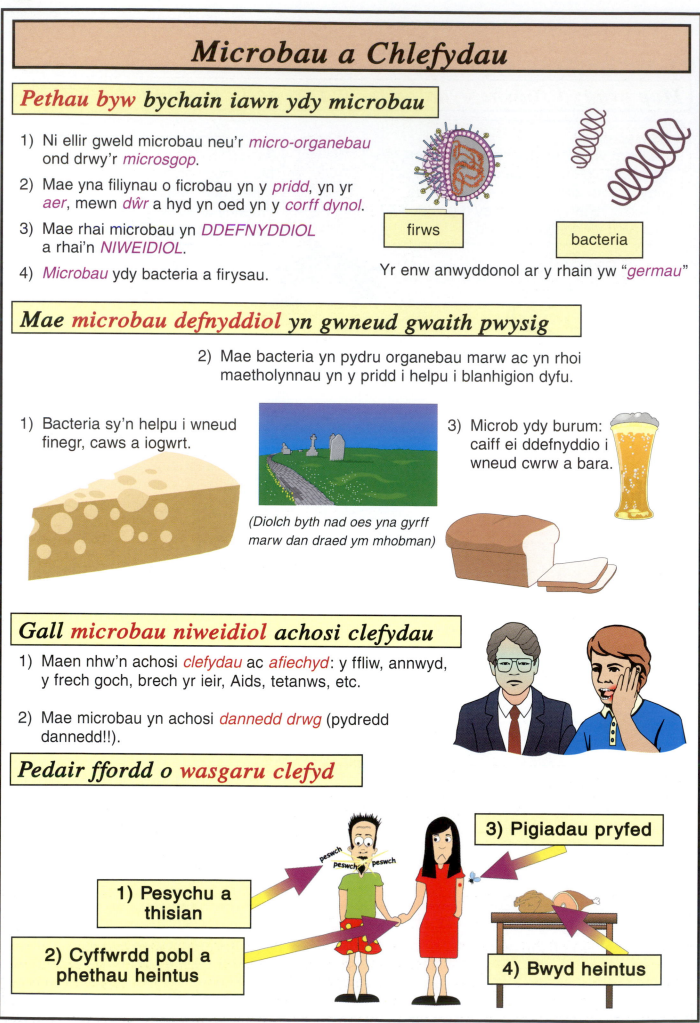

peswch peswch peswch

3) Pigiadau pryfed

1) Pesychu a thisian

2) Cyffwrdd pobl a phethau heintus

4) Bwyd heintus

Ymladd Clefydau

Yn y gegin – byddwch yn *synhwyrol* gyda *bwyd*

1) Gorchuddiwch y bwyd.

2) Rhowch y bwyd mewn oergell.

4°C

3) Twymwch y bwyd yn iawn wrth ei goginio.

4) Cadwch gig amrwd oddi wrth gig sydd wedi ei goginio.

5) Rhaid cadw'r bwyd yn briodol - wedi tynnu'r aer a'r dŵr i ffwrdd.

creision

Bwyd tun

Picls

Bwydydd wedi'u sychu

Bwydydd tun

Bwydydd wedi'u piclo

Bwydydd hallt

Gartref – byddwch yn *synhwyrol* gyda *hylendid personol*

1) Golchwch eich dwylo ar ôl bod yn y toiled.

2) Peidiwch â thisian a phesychu ar bobl.

peswch!

Yn y feddygfa – defnyddir *moddion i ymladd microbau*

Defnyddir moddion ar ffurf brechiadau a moddion gwrthfiotig fel tabledi/pils neu fel pigiadau – i ymladd microbau sy'n achosi gwaeledd.

Microbau a heintiau – fy hoff destun...

Mae'n bwysig eich bod yn gwybod sut yr achosir clefydau, er mwyn i chi eu hosgoi. Fel y gwelwch, *synnwyr cyffredin* ydy ymladd haint yn y cartref. Cofiwch fod microbau yn amlhau fel tân gwyllt mewn pethau sy'n *gynnes* ac yn agored i'r *aer*. Cofiwch hefyd nad ydy'r microbau i gyd yn *niweidiol* – mae rhai'n *ddefnyddiol* iawn i ni.

ADRAN 3 – Y CORFF DYNOL

Adolygu Adran 3

Mae hon yn glamp o adran – *popeth* y byddech chi am ei wybod am eich hunan a mwy. Y cyfan sydd ar ôl i chi ei wneud yn awr yw *ei ddysgu*. Dyma res o gwestiynau eto. Darllenwch nhw drosodd a throsodd. Maen nhw'n profi eich gwybodaeth am y ffeithiau. Ydych chi'n barod i fynd ymlaen?

1) *Tynnwch* lun ffrâm y corff a welwch yma:
   Tynnwch lun yr *organau* hyn: ymennydd, ysgyfaint, calon, stumog, coludd, arennau, pledren.

2) Enwch y ddau beth pwysig mae ar fod dynol eu hangen i gadw'n fyw.

3) Enwch ddau organ sy'n cael gwared o wastraff.

4) Ble mae'r sgerbwd mewn bod dynol?

5) Rhowch *dri rheswm* pam y mae gennych sgerbwd.

6) Beth sy'n *cysylltu'r* cyhyrau â'r esgyrn?

7) Beth sy'n *dal* yr esgyrn wrth ei gilydd yn y *cymalau*?

8) Mae cyhyrau bob amser yn gweithio mewn parau. Pan fydd un cyhyr yn cyfangu, beth mae'r *cyhyr arall* yn ei wneud?

9) Enwch y *tri math* o bibellau gwaed sydd yn y corff.

10) Pa fath o *bibell waed* sy'n gadael i nwy a bwyd symud i mewn ac allan ohoni?

11) Pa organ sy'n pwmpio'r gwaed o gwmpas y corff?

12) Pa *nwy* mae'r gwaed yn ei *gymryd* o'r ysgyfaint a pha nwy mae'n ei *roi* i'r ysgyfaint?

13) Pa fath o bibellau gwaed sy'n cario gwaed *i ffwrdd* oddi wrth y *galon*?

14) Beth ydy *enw'r* tiwb sy'n cario *nwyon* i mewn ac allan o'r ysgyfaint?

15) Beth ydy *pwls*: a) llysieuyn b) curiad y galon c) pibell waed?

16) *Sawl gwaith* mae calon oedolyn yn curo mewn munud (pan fydd yn gorffwyso)?

17) Beth ydy'r *tri* phrif fathau o *ddannedd*?

18) Dywedwch *pa fath* o ddannedd sy'n gwneud hyn:
   a) torri/brathu b) gwasgu a malu'n fân c) trywanu/dal gafael.

19) Beth ydy'r *gwahaniaeth* yn niet y grwpiau anifeiliaid hyn:
   a) hollysydd b) cigysydd c) llysysydd?

20) Beth ydy'r enw a roddir i'r *set gyntaf* o ddannedd gaiff bodau dynol?

21) Beth ydy *plac* a beth sy'n ei *achosi*?

22) Beth ydy'r enw ar *du allan* y dant: enamel neu dentin?

23) Enwch *bedair ffordd* o osgoi pydredd dannedd.

24) Enwch y prif *gyfnodau* yng nghylchred bywyd bod dynol.

25) Beth sy'n digwydd i gorff bachgen a chorff merch yn ystod y *glasoed*?

26) Beth ydy *mislif*?

27) Enwch y *saith* grŵp bwyd.

28) Pa *ddau* grŵp bwyd sy'n rhoi egni?

29) Rhowch *dri rheswm* pam mae ymarfer corff yn bwysig?

30) Mae alcohol ac ysmygu yn beryglus i iechyd. Pa un sy'n achosi *canser yr ysgyfaint* a pha un sy'n niweidio'r *iau/afu*?

31) Beth ydy'r enw *anwyddonol* a roddir yn aml i ficrobau?

32) Enwch *ddau grŵp* o ficrobau.

33) Enwch *dri o fanteision* microbau.

34) Enwch *dri chlefyd* a achosir gan ficrobau.

35) Rhowch dri *chyngor diogelwch* wrth drin bwyd yn y gegin.

36) Rhowch ddau gyngor diogelwch am *hylendid personol* fyddai'n atal microbau rhag lledaenu o berson i berson.

37) Enwch ddau grŵp o *foddion* a ddefnyddir gan feddygon i ymladd microbau.

ADRAN 3 – Y CORFF DYNOL

Dosbarthu Pethau Byw

Gan fod yna gymaint o amrywiaeth mewn planhigion ac anifeiliaid, mae gwyddonwyr yn eu rhannu yn grwpiau llai. Maen nhw'n chwilio am *wahaniaethau* a *thebygrwydd* er mwyn *grwpio* planhigion ac anifeiliaid.

Pethau byw → **Anifeiliaid**
Pethau byw → **Planhigion**

Grwpiau *anifeiliaid*

Gellir rhoi holl anifeiliaid y byd mewn dau grŵp – 1) Fertebratau neu 2) Infertebratau.

Anifeiliaid sydd ag *asgwrn cefn* ydy FERTEBRATAU

Pysgod

anadlu gyda thagellau
dodwy wyau mewn dŵr
esgyll a chennau
tymheredd corfforol anghyson
e.e. brithyll, siarc, eog

Amffibiaid

genir gyda thagellau sy'n troi'n ysgyfaint
dodwy wyau mewn dŵr
croen llaith
tymheredd corfforol anghyson
e.e. llyffant, broga, madfall

Ymlusgiaid

ysgyfaint
dodwy wyau ar y tir
croen sych cennog
tymheredd corfforol anghyson
e.e. aligator, neidr, crocodeil, crwban

Adar

ysgyfaint
dodwy wyau sydd â phlisgyn caled
plu
tymheredd corfforol cyson
e.e. pengwin, estrys, hebog

Mamolion

ysgyfaint
babanod yn cael eu geni'n fyw
blew corfforol neu ffwr
tymheredd corfforol cyson
bwydo'r babanod â llaeth
e.e. ci, morfil, llew, morlo, ystlum

Fertebratau – ias i lawr y cefn...

Mae yna dipyn o wybodaeth yma. Edrychwch ar *un* grŵp ar y tro a dysgwch beth sydd gan anifeiliaid y grŵp hwnnw. Bydd y lluniau yn helpu i wneud synnwyr o'r wybodaeth. Sylwch fel y gallwch *rannu*'r anifeiliaid yn grwpiau drwy ofyn *cwestiynau* fel "*ydy e'n dodwy wyau?*" Mae'n ymarfer da ar gyfer yr hyn sydd i ddod.

Infertebratau

Anifeiliaid heb asgwrn cefn ydy INFERTEBRATAU

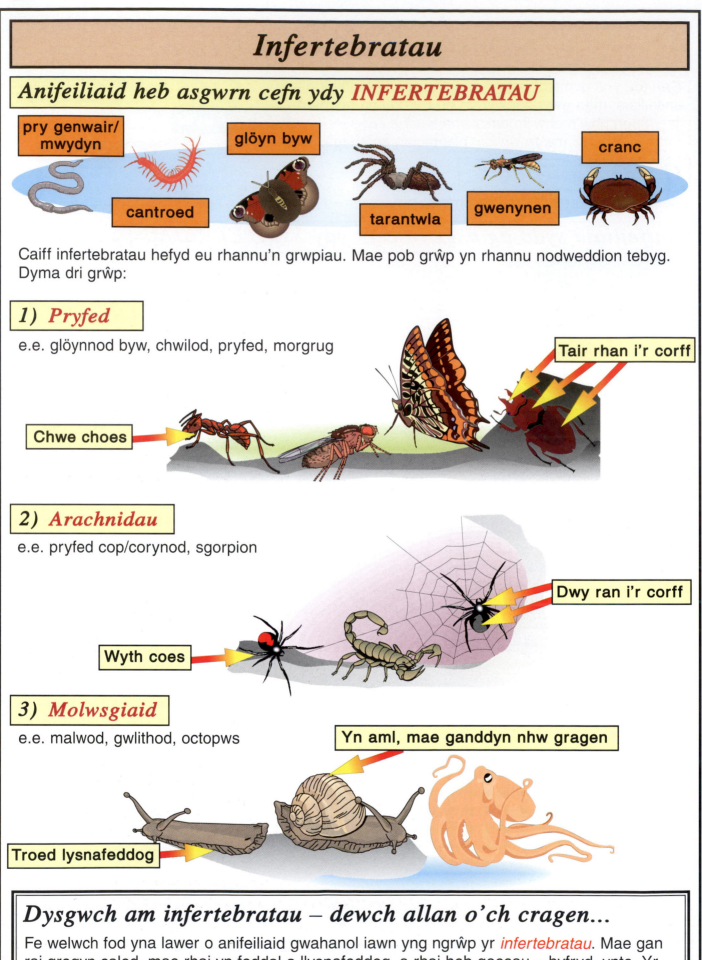

pry genwair/mwydyn

cantroed

glöyn byw

tarantwla

gwenynen

cranc

Caiff infertebratau hefyd eu rhannu'n grwpiau. Mae pob grŵp yn rhannu nodweddion tebyg. Dyma dri grŵp:

1) Pryfed

e.e. glöynnod byw, chwilod, pryfed, morgrug

Tair rhan i'r corff

Chwe choes

2) Arachnidau

e.e. pryfed cop/corynod, sgorpion

Dwy ran i'r corff

Wyth coes

3) Molwsgiaid

e.e. malwod, gwlithod, octopws

Yn aml, mae ganddyn nhw gragen

Troed lysnafeddog

Dysgwch am infertebratau – dewch allan o'ch cragen...

Fe welwch fod yna lawer o anifeiliaid gwahanol iawn yng ngrŵp yr *infertebratau*. Mae gan rai gregyn caled, mae rhai yn feddal a llysnafeddog, a rhai heb goesau – hyfryd, ynte. Yr hyn i'w gofio ydy fod y rhai *tebyg* yn cael eu rhoi *gyda'i gilydd* mewn grŵp. Mae'r anifeiliaid *heb asgwrn cefn* felly i gyd yn mynd i grŵp mawr o'r enw *infertebratau*.

Grwpiau Planhigion

Grwpiau Planhigion

Gellir rhoi holl blanhigion y byd mewn un o ddau grŵp: planhigion *sy'n blodeuo* (*â blodau*) a phlanhigion *sydd ddim yn blodeuo* (*heb flodau*).

Planhigion sy'n blodeuo

Gweiriau

Grawnfwydydd

Llwyni gardd

Coed collddail

(mae'r rhain yn colli eu dail e.e. derwen, bedwen, castanwydden)

Planhigion sydd ddim yn blodeuo

Algâu

(algâu ydy llysnafedd mewn pwll a gwymon)

Ffyngau

(madarch, caws llyffant a llwydni)

Coed conwydd

(mae'r rhain yn fythwyrdd, yn cadw eu dail ac mae conau arnynt, e.e. coed pîn)

Rhedyn

(maen nhw'n gwneud sborau yn lle hadau)

Planhigion – bydd eich gwybodaeth yn tyfu os dysgwch hyn...

Gallwch rannu *holl* blanhigion y byd yn *ddau grŵp* drwy ofyn y cwestiwm "oes gan y planhigyn flodau?" Gall y planhigion sy'n blodeuo edrych yn wahanol iawn i'w gilydd – mae gwair, llygad y dydd, coed derw a gwenith i gyd yn blodeuo. Mae yna fwy o amrywiaeth hyd yn oed yn y planhigion sydd ddim yn blodeuo. Cofiwch nad ydy planhigion sydd *ddim* yn blodeuo yn gwneud hadau.

Defnyddio Allweddi

Mae allweddi'n *datgloi* gwybodaeth

Mae gwyddonwyr yn defnyddio allweddi i *adnabod* planhigion ac anifeiliaid sy'n ddieithr iddyn nhw (a hefyd i fynd a dod o'u cartrefi). Allwedd ydy cyfres o *gwestiynau* sydd â *dau* ateb posibl. Mae'r atebion yn eich arwain i'r cwestiwn nesaf neu at enwi'r creadur dieithr. Clyfar, ynte, rhowch gynnig arni…

Tri chyngor gwerth chweil wrth *ddefnyddio allweddi*

1) Cymerwch *un* anifail ar y tro.
2) Dechreuwch yn rhif 1) ac ewch drwy'r cwestiynau *am yr anifail hwnnw'n unig*.
3) *Dilynwch yr atebion*. Maen nhw'n eich arwain i'r cwestiwn nesaf neu'n enwi'r anifail.

Rhowch gynnig arni. Ceisiwch ganfod y grŵp mae'r anifeiliaid canlynol yn perthyn iddo.

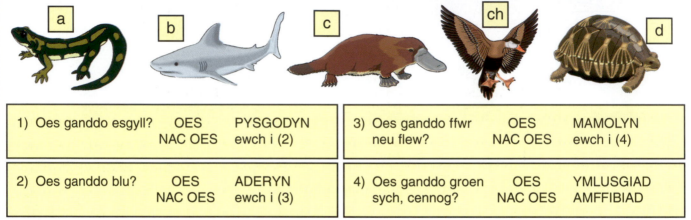

1) Oes ganddo esgyll?	OES	PYSGODYN
	NAC OES	ewch i (2)

2) Oes ganddo blu?	OES	ADERYN
	NAC OES	ewch i (3)

3) Oes ganddo ffwr neu flew?	OES	MAMOLYN
	NAC OES	ewch i (4)

4) Oes ganddo groen sych, cennog?	OES	YMLUSGIAD
	NAC OES	AMFFIBIAD

Atebion: a = amffibiad, b = pysgodyn, c = mamolyn, ch = aderyn, d = ymlusgiad

Allweddi canghennog

Gallwch ddangos yr allwedd fel patrwm canghennog. Yn yr un ffordd, dilynwch y llinell. Rhowch gynnig ar hwn.

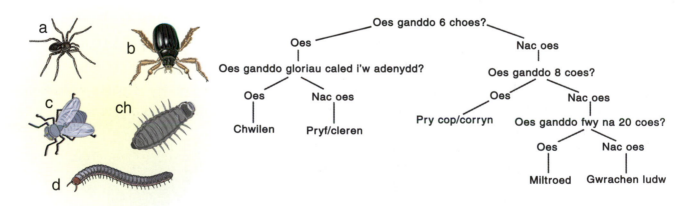

Atebion: a = pry cop/corryn, b = chwilen, c = pryf/cleren, ch = gwrachen ludw, d = miltroed

Defyddiwch allweddi – i ddatgloi atebion…

Ni fydd disgwyl i chi allu llunio allwedd ond rhaid i chi allu *dilyn* un i adnabod rhyw greadur dieithr. Mae'n *hawdd,* a dweud y gwir – dim ond i chi gofio'r *cynghorion* uchod. Cofiwch ddilyn allwedd o *gam* i *gam* a *pheidio* edrych ar y lluniau'n unig a *dyfalu*.

Adolygu Adran 4

Adran fach denau'r tro hwn, ond peidiwch â chael eich twyllo. Rhaid i chi wybod y geiriau anodd hyn a'u hystyr, er enghraifft, *fertebratau* ac *infertebratau*. Cofiwch fod amrywiad yn golygu "gwahaniaethau". Dydy dosbarthiad yn ddim byd mwy na grwpio creaduriaid sy'n debyg mewn rhyw ffordd. Rhaid i chi hefyd wybod am alweddi. Ydw, rydw i'n gwybod y gallwch chi agor y clo ar ddrws y tŷ – ond allwch chi ddefnyddio allwedd i adnabod creaduriaid dieithr? Rhowch gynnig ar hwn. Pwy ydy'r dieithriaid hyn? Pob lwc.

1) Defnyddiwch yr *allwedd* i ganfod enwau pob un o'r creaduriaid dieithr hyn.

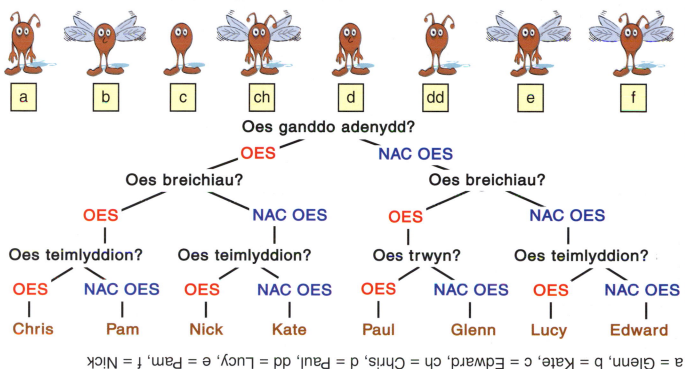

Atebion:
a = Glenn, b = Kate, c = Edward, ch = Chris, d = Paul, dd = Lucy, e = Pam, f = Nick

2) Gellir rhoi popeth byw mewn un o *ddau* grŵp. Beth ydy'r ddau grŵp?
3) Gellir rhoi pob anifail mewn un o *ddau* grŵp. Beth ydy'r ddau grŵp?
4) Beth ydy ystyr *fertebrat*?
5) Enwch y *pum* grŵp o fertebratau.
6) Enwch y *tri* grŵp o infertebratau.
7) Nodwch i ba un o'r pum grŵp o fertebratau mae'r rhain yn perthyn:
   a) mae'n anadlu gyda *thagellau* b) mae ganddo *blu* c) mae ganddo groen *sych, cennog*
   ch) mae ganddo *flew* d) mae'n dodwy *wyau* mewn *dŵr* ond yn defnyddio *ysgyfaint* i anadlu pan fydd yn *oedolyn*.
8) Pa ddau grŵp o fertebratau sydd â thymheredd corfforol *cyson*?
9) Pa dri grŵp o fertebratau sydd â thymheredd corfforol yr un fath â'u *hamgylchedd*?
10) I ba grŵp o fertebratau y genir babanod yn *fyw* ac y bwydir hwy â *llaeth*?
11) Pa grŵp o infertebratau sydd â 6 choes?
12) Enwch *ddau* wahaniaeth rhwng pry copyn/corryn a morgrugyn.
13) Gellir rhoi pob *planhigyn* mewn un o *ddau* grŵp. Beth ydy'r ddau grŵp?
14) Planhigion sydd ddim yn blodeuo nac yn gwneud hadau ydy rhedyn.
    Beth maen nhw'n ei wneud?
15) Beth ydy'r enw ar goed *sydd ddim* yn colli eu dail yn y gaeaf?
16) Does gan goed conwydd ddim blodau. *Ble* mae eu hadau'n cael eu gwneud?
17) Beth sy'n digwydd i ddail coed collddail?
18) Enwch *ddwy* goeden gollddail.

ADRAN 4 – AMRYWIAD A DOSBARTHIAD

Lleoedd i Fyw

Gall *bodau dynol* fyw ym mhob rhan o'r byd. Gallwn wneud hyn oherwydd ein bod yn gallu gwisgo dillad ac adeiladu tai sy'n addas i amodau gwahanol – fel Affrica neu'r Arctig. Dim ond mewn rhai *amgylcheddau* arbennig mae'r rhan fwyaf o blanhigion ac anifeiliaid yn gallu byw – allan nhw ddim newid eu dillad.

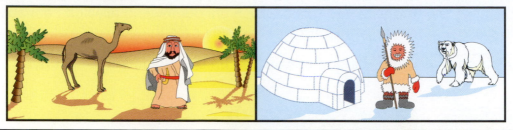

Gelwir y *lle* mae planhigyn neu anifail yn byw yn *gynefin* iddo

Mae'r *cynefin* (lle byw) yn rhoi *bwyd* a *chysgod* i'r planhigyn neu'r anifail. Mae'r cynefin hefyd yn caniatáu i bethau byw atgenhedlu (cael rhai bach) mewn amgylchedd diogel, e.e. gwrych, cae neu goeden.

Esiamplau eraill: *Llyffant/Broga mewn pwll*   *Aderyn mewn coedwig*

Gwlithod blasus i'w bwyta. *Dŵr* ar gyfer grifft broga. *Aer llaith* i atal y llyffant/broga rhag sychu.

Digon o ddefnyddiau i adeiladu *nyth*. Plu wedi eu *cuddliwio*. Digon o *bryfed genwair* yn y ddaear.

Mae planhigion ac anifeiliaid wedi *addasu* i'w cynefin

I'w helpu i *oroesi* yn eu cynefin, mae pethau byw wedi datblygu *nodweddion arbennig* sy'n addas i'r lle maen nhw'n byw. Mae'r rhain yn eu helpu i barhau i allu byw yn eu cynefin. Dyma esiamplau o addasu:

Dyfrgi

1) *Llygaid* a *ffroenau* yn cau o dan y dŵr.
2) *Traed* gweog i'w helpu i symud yn y dŵr.
3) *Blew hir* o gwmpas ei geg i deimlo dirgryniadau yn y dŵr ac i'w helpu i ganfod ei fwyd.

Gwiwer

1) *Crafangau hir* i afael ac i'w helpu i ddringo.
2) *Dannedd cryf* i dorri cnau.
3) *Cynffon drwchus* ar gyfer cydbwysedd.

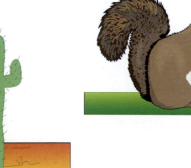

Cactws

1) *Gwreiddiau hir* i ganfod dŵr.
2) *Coesynnau tew* i storio dŵr.
3) *Dail tenau, nodwyddog* i atal colli dŵr.

Addasu i Wres ac Oerni

Goroesi mewn amgylcheddau *poeth* – *llygoden yr anialwch*

Gall anialwch y Sahara fod fel *ffwrnais* gan gyrraedd tymheredd hyd at 55°C (30°C ydy'r tymheredd uchaf a gawn ni ganol haf yn y Deyrnas Unedig). Mae llygoden yr anialwch wedi gwneud yr addasiadau hyn i'w galluogi i fyw'n llwyddiannus yn yr amgylchedd hwnnw:

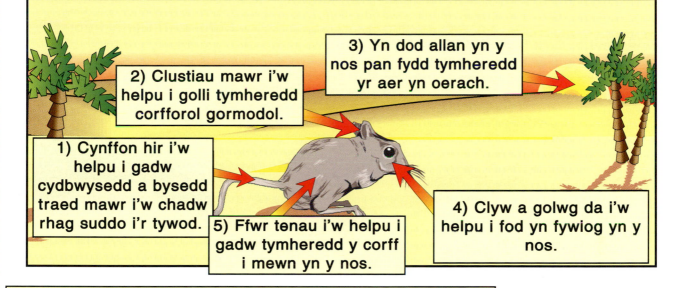

2) Clustiau mawr i'w helpu i golli tymheredd corfforol gormodol.

3) Yn dod allan yn y nos pan fydd tymheredd yr aer yn oerach.

1) Cynffon hir i'w helpu i gadw cydbwysedd a bysedd traed mawr i'w chadw rhag suddo i'r tywod.

4) Clyw a golwg da i'w helpu i fod yn fywiog yn y nos.

5) Ffwr tenau i'w helpu i gadw tymheredd y corff i mewn yn y nos.

Goroesi mewn amgylcheddau *oer* – *y morloi*

Mae amgylchedd Pegwn y Gogledd yn oer iawn. Dydy hi ddim yn cynhesu yno hyd yn oed yn yr haf. Mae'r morloi'n gweddu i'r oerni – dyma'r nodweddion sy'n ei alluogi i fyw yno'n llwyddiannus:

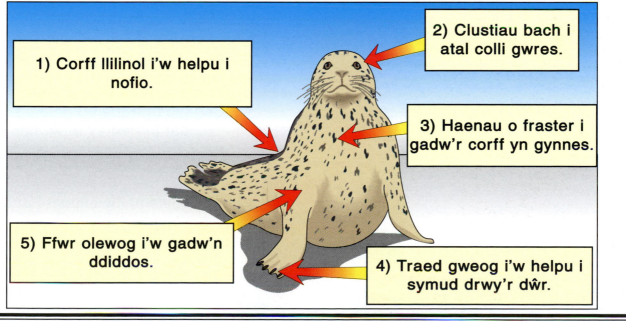

1) Corff llilinol i'w helpu i nofio.

2) Clustiau bach i atal colli gwres.

3) Haenau o fraster i gadw'r corff yn gynnes.

5) Ffwr olewog i'w gadw'n ddiddos.

4) Traed gweog i'w helpu i symud drwy'r dŵr.

Dysgwch am y cynefinoedd hyn – cynefinwch â'r wybodaeth...

Rhaid i anifeiliaid *addasu* i'r lle maen nhw'n byw neu gallent farw. Dychmygwch beth allai ddigwydd i lygoden yr anialwch yn yr Arctig neu i'r morloi yn y Sahara.
Cofiwch mai ystyr *cynefin* ydy'r *lle* mae planhigyn neu anifail yn byw. Gall cynefinoedd fod yn fawr – coedwig, neu'n fach – o dan garreg.

Addasu i Ddŵr

Mae gan bob un o'r anifeiliaid hyn *nodweddion corfforol arbennig* (addasiadau) ar gyfer byw yn ei gynefin. Mae gan bob un addasiadau sy'n caniatáu iddo *symud* i *chwilio am fwyd*, *osgoi ysglyfaethwyr* (gelynion) ac *atgenhedlu* (gwneud rhai bach).

Mae *pysgod* wedi addasu i fyw mewn *dŵr*

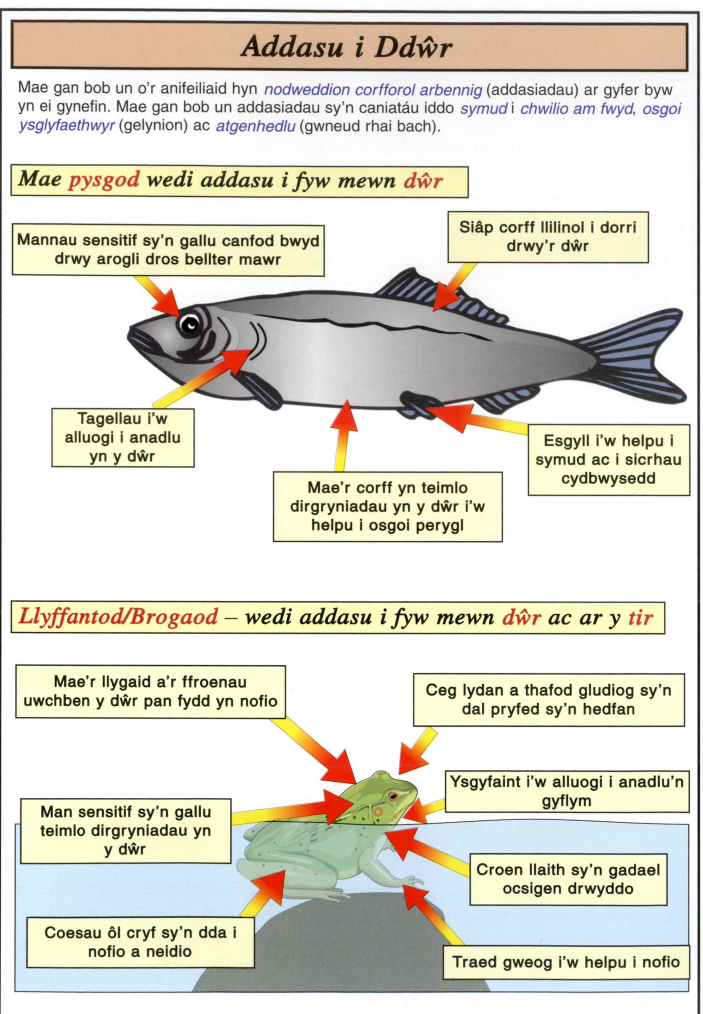

Mannau sensitif sy'n gallu canfod bwyd drwy arogli dros bellter mawr

Siâp corff llilinol i dorri drwy'r dŵr

Tagellau i'w alluogi i anadlu yn y dŵr

Mae'r corff yn teimlo dirgryniadau yn y dŵr i'w helpu i osgoi perygl

Esgyll i'w helpu i symud ac i sicrhau cydbwysedd

Llyffantod/Brogaod – *wedi addasu i fyw mewn* *dŵr* *ac ar y* *tir*

Mae'r llygaid a'r ffroenau uwchben y dŵr pan fydd yn nofio

Ceg lydan a thafod gludiog sy'n dal pryfed sy'n hedfan

Ysgyfaint i'w alluogi i anadlu'n gyflym

Man sensitif sy'n gallu teimlo dirgryniadau yn y dŵr

Croen llaith sy'n gadael ocsigen drwyddo

Coesau ôl cryf sy'n dda i nofio a neidio

Traed gweog i'w helpu i nofio

Addasu i Gynefinoedd Eraill

Pryfed Genwair/Mwydod – addasu i fywyd yn y pridd

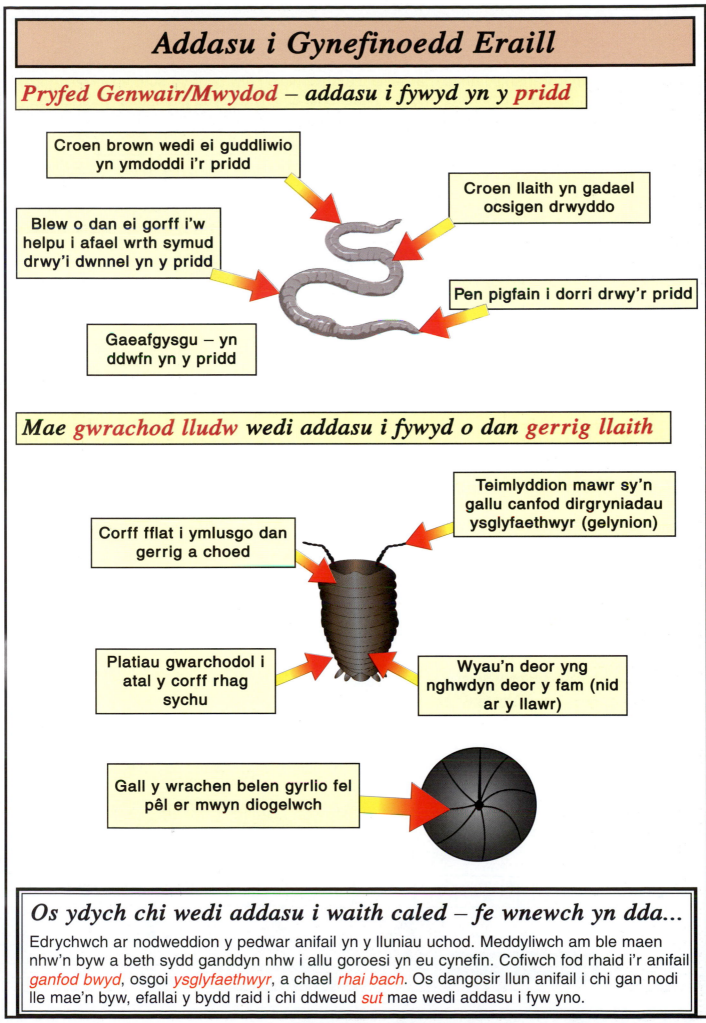

Croen brown wedi ei guddliwio yn ymdoddi i'r pridd

Croen llaith yn gadael ocsigen drwyddo

Blew o dan ei gorff i'w helpu i afael wrth symud drwy'i dwnnel yn y pridd

Pen pigfain i dorri drwy'r pridd

Gaeafgysgu – yn ddwfn yn y pridd

Mae gwrachod lludw wedi addasu i fywyd o dan gerrig llaith

Teimlyddion mawr sy'n gallu canfod dirgryniadau ysglyfaethwyr (gelynion)

Corff fflat i ymlusgo dan gerrig a choed

Platiau gwarchodol i atal y corff rhag sychu

Wyau'n deor yng nghwdyn deor y fam (nid ar y llawr)

Gall y wrachen belen gyrlio fel pêl er mwyn diogelwch

Os ydych chi wedi addasu i waith caled – fe wnewch yn dda...

Edrychwch ar nodweddion y pedwar anifail yn y lluniau uchod. Meddyliwch am ble maen nhw'n byw a beth sydd ganddyn nhw i allu goroesi yn eu cynefin. Cofiwch fod rhaid i'r anifail *ganfod bwyd*, osgoi *ysglyfaethwyr*, a chael *rhai bach*. Os dangosir llun anifail i chi gan nodi lle mae'n byw, efallai y bydd raid i chi ddweud *sut* mae wedi addasu i fyw yno.

Cadwynau Bwyd

Gall llawer iawn o wahanol fathau o anifeiliaid a phlanhigion fyw ochr yn ochr yn yr un cynefin. Mae arnyn nhw i gyd angen bwyd i gael egni ac i dyfu. Bydd planhigion yn cael eu bwyd o olau'r haul, yr aer a'r pridd (drwy *ffotosynthesis*), ond rhaid i anifeiliaid fwyta pethau byw eraill fel planhigion ac anifeiliaid eraill.

Cadwynau Bwyd – *Pethau byw yn* bwydo *ar bethau byw eraill*

Mewn lluniau o gadwynau bwyd mae'r saethau yn dangos beth sy'n cael ei fwyta gan bwy, neu beth sydd *YN FWYD I* ba anifail.

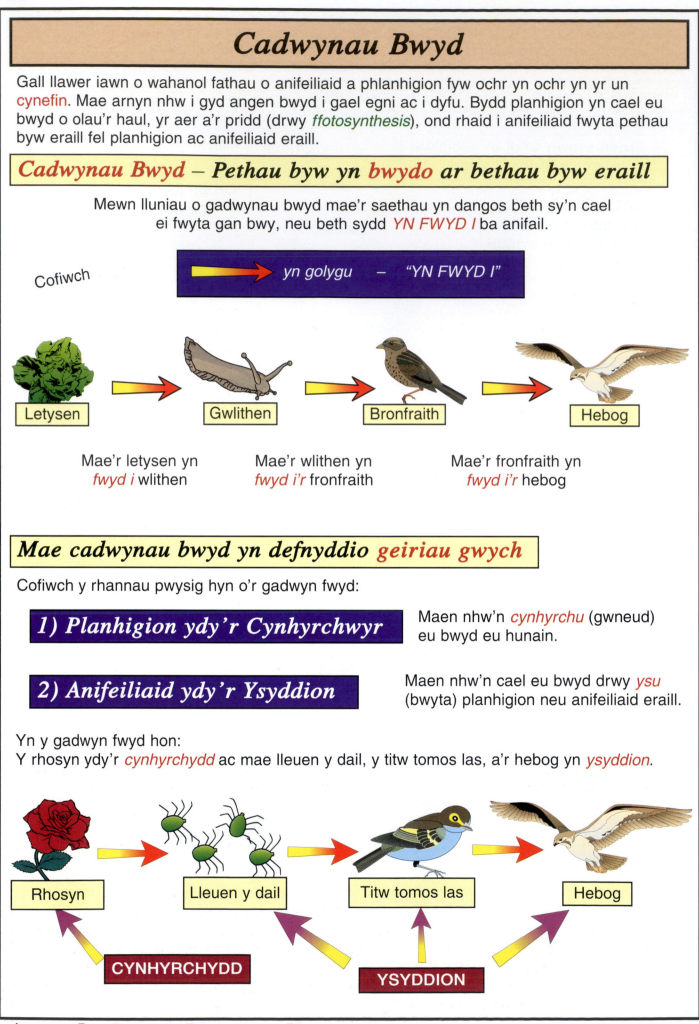

Cofiwch

yn golygu – *"YN FWYD I"*

| Letysen | Gwlithen | Bronfraith | Hebog |

Mae'r letysen yn *fwyd i* wlithen

Mae'r wlithen yn *fwyd i'r* fronfraith

Mae'r fronfraith yn *fwyd i'r* hebog

Mae cadwynau bwyd yn defnyddio geiriau gwych

Cofiwch y rhannau pwysig hyn o'r gadwyn fwyd:

1) Planhigion ydy'r Cynhyrchwyr

Maen nhw'n *cynhyrchu* (gwneud) eu bwyd eu hunain.

2) Anifeiliaid ydy'r Ysyddion

Maen nhw'n cael eu bwyd drwy *ysu* (bwyta) planhigion neu anifeiliaid eraill.

Yn y gadwyn fwyd hon:
Y rhosyn ydy'r *cynhyrchydd* ac mae lleuen y dail, y titw tomos las, a'r hebog yn *ysyddion*.

| Rhosyn | Lleuen y dail | Titw tomos las | Hebog |

CYNHYRCHYDD

YSYDDION

Cadwynau Bwyd

Ysglyfaethwyr ydy anifeiliaid sy'n bwyta anifeiliaid eraill

Ysglyfaeth ydy anifail sy'n cael ei ladd gan *ysglyfaethwyr*.

Esiamplau o ysglyfaethwyr ac ysglyfaethau:

Ysglyfaethwyr	Ysglyfaethau
Hebog	Bronfraith, Titw tomos las, Cwningen
Morlo	Cranc, Octopws, Pengwin
Penfras	Pennog, Macrell, Corbenfras

Os yw un rhan o'r gadwyn fwyd yn newid – yna mae'r cyfan yn newid

Newidiwch un rhan o'r gadwyn fwyd ac yna bydd gweddill y gadwyn yn newid. Yn 1953 lladdwyd nifer fawr o gwningod gan glefyd a gyflwynodd dyn i'r amgylchedd.

Yn fuan, dechreuodd cefn gwlad newid. Roedd mwy o blanhigion yn goroesi (llai o gwningod yn bwyta'r planhigion) ac felly roedd mwy o geirw'n goroesi oherwydd fod yna fwy o lystyfiant i'w fwyta. Fodd bynnag, gwelwyd lleihad yn niferoedd y llwynogod a'r hebogiaid gan fod llai o gwningod i'w bwyta. Lleihau hefyd wnaeth niferoedd anifeiliaid bychain fel llygod bach a llygod y gwair gan fod ysglyfaethwyr yn eu bwyta nhw yn lle'r cwningod.

Pwy sy'n bwyta pwy?...

Ystyr cadwynau bwyd yn syml ydy beth sy'n bwyta beth. Mae meddwl am *blanhigion* fel *cynhyrchwyr* ac *anifeiliaid* fel *ysyddion* yn edrych yn od ar y dechrau, ond os cofiwch mai planhigion ydy'r *unig* rai sy'n *cynhyrchu* eu *bwyd eu hunain*, yna fydd dim anhawster o gwbl. Cofiwch mai ysyddion ydy'r anifeiliaid *i gyd*, hyd yn oed y rhai sy'n cael eu bwyta, gan *nad ydyn* nhw'n cynhyrchu eu bwyd eu hunain. Cofiwch hefyd mai ystyr y saeth mewn cadwyn fwyd ydy "*yn fwyd i*" ac nid "*yn bwyta*". Mae'n ddefnyddiol dyfalu beth fyddai'n *digwydd* pe baech chi'n *newid* rhan o'r gadwyn fwyd.

ADRAN 5 – PETHAU BYW YN EU HAMGYLCHEDD

Cadwynau Bwyd

Ym myd natur, wrth gwrs, fe welir gwahanol blanhigion a gwahanol anifeiliaid yn rhannu'r un cynefin. Mae llawer o anifeiliaid yn bwyta mwy nag un math o fwyd. Mae hyn yn beth da ar gyfer goroesi gan y gall anifail fwyta gwahanol fwydydd heb orfod dibynnu ar un peth yn unig. Mae hefyd yn golygu ei fod yn cael diet cytbwys.

Mae'r cyfan yn golygu bod pethau byw fel rheol yn rhan o amryw o gadwynau bwyd gwahanol. Mae cadwynau bwyd sydd wedi eu cysylltu â'i gilydd yn ffurfio GWE FWYD.

Gall yr *un* anifail neu blanhigyn fod mewn sawl *cadwyn fwyd*

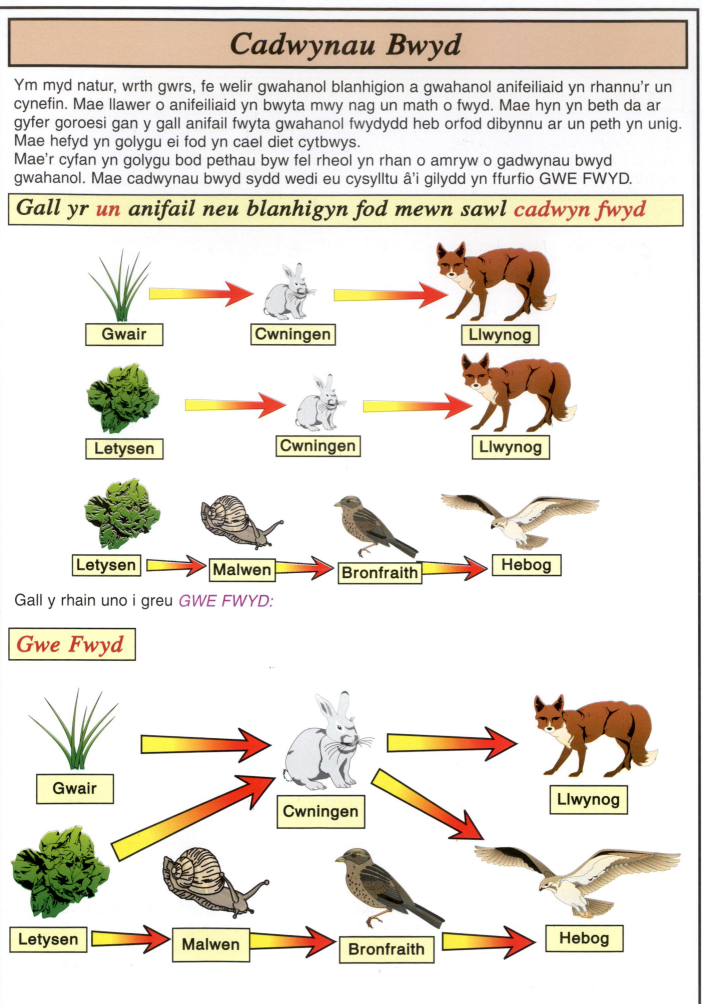

Gall y rhain uno i greu *GWE FWYD:*

Gwe Fwyd

Gweoedd Bwyd

Mae gwe fwyd yn rhoi mwy o wybodaeth am beth sy'n bwyta beth

Mae'r we fwyd isod yn dangos sut y gallai gwahanol gadwynau bwydydd gael eu cysylltu gyda'i gilydd o fewn cynefin glan y môr.

Pe bai'r môr yn cael ei lygru a'r *pysgod cregyn* yn marw – byddai hyn yn newid niferoedd y pethau byw eraill:

Beth sy'n digwydd pan ydych chi'n newid pethau

Edrychwch ar we fwyd glan y môr. Os oes llai o bysgod cregyn, yna:

1) fe fydd mwy o *wymon*…   … gan fod llai o bysgod cregyn *i'w fwyta*.
2) fe fydd llai o *sêr môr*…   … gan fod llai o *fwyd* i'r sêr môr.
3) fe fydd llai o *grancod*…   … gan fod llai o *fwyd* (pysgod cregyn) i'r crancod a'u bod hwythau'n awr yn cael eu bwyta gan *wylanod* gan fod llai o *sêr môr*.

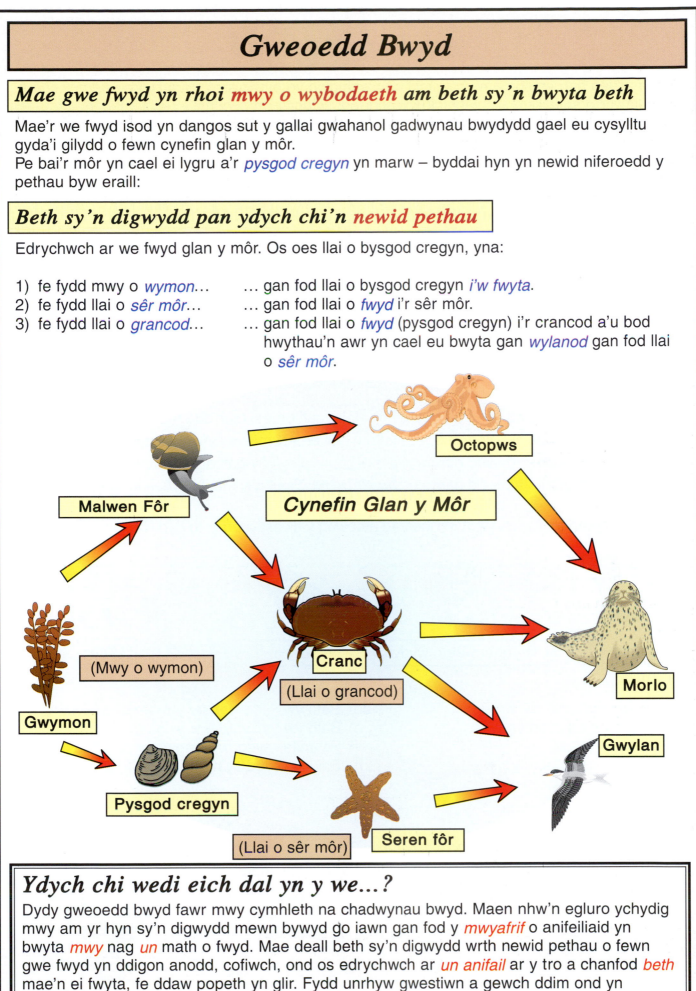

Octopws

Malwen Fôr

Cynefin Glan y Môr

Morlo

(Mwy o wymon)

Cranc

(Llai o grancod)

Gwymon

Gwylan

Pysgod cregyn

Seren fôr

(Llai o sêr môr)

Ydych chi wedi eich dal yn y we…?

Dydy gweoedd bwyd fawr mwy cymhleth na chadwynau bwyd. Maen nhw'n egluro ychydig mwy am yr hyn sy'n digwydd mewn bywyd go iawn gan fod y *mwyafrif* o anifeiliaid yn bwyta *mwy* nag *un* math o fwyd. Mae deall beth sy'n digwydd wrth newid pethau o fewn gwe fwyd yn ddigon anodd, cofiwch, ond os edrychwch ar *un anifail* ar y tro a chanfod *beth* mae'n ei fwyta, fe ddaw popeth yn glir. Fydd unrhyw gwestiwn a gewch ddim ond yn ymwneud â *gwe fwyd* syml gyda thri neu bedwar o bethau ynddi.

Adolygu Adran 5

Mae'r adran hon yn sôn am *anifeiliaid* a phlanhigion yn *byw gyda'i gilydd* yn eu *hamgylchedd*. Mae llawer o anifeiliaid a phlanhigion yn gorfod *rhannu*'r un *cynefin*. Rhaid iddynt i gyd ganfod bwyd, cysgod, a rhywle i gynhyrchu rhai bach, a hynny heb fynd yn bryd o fwyd i rywbeth arall. Mae pethau byw i gyd yn *wahanol iawn*, gan fod hyn yn eu helpu i oroesi mewn amgylchedd cystadleuol. Mae ganddyn nhw i gyd *nodweddion arbennig* sy'n caniatáu iddyn nhw fyw mewn lleoedd gwahanol ac mewn ffyrdd gwahanol. Ceisiwch ateb y cwestiynau – cofiwch fod croeso i chi edrych yn ôl ar yr adran os ewch i'r wal. *Lwc dda.*

1) Beth ydy *enw*'r *lle* mae planhigyn neu anifail yn byw?
2) Beth mae'r cynefin yn ei *roi* i anifail neu blanhigyn?
3) Enwch ddwy nodwedd arbennig sydd i *ddyfrgi* fel y gall oroesi mor dda yn y dŵr.
4) Mae gan wiwer *gynffon drwchus*. Sut mae hyn yn ei helpu i oroesi?
5) Sut mae cactws wedi *addasu* i fyw mewn *cynefin o anialwch*?
6) Enwch *un* addasiad sydd gan forlo fel y gall fyw mewn *rhannau oer o'r môr*.
7) Enwch *un* addasiad sydd gan lygoden yr anialwch fel y gall fyw mewn *cynefin o anialwch*.
8) Enwch dri addasiad sydd gan *bysgodyn* fel y gall oroesi mor dda mewn cynefin o ddŵr.
9) Enwch dri addasiad sydd gan *lyffant* fel y gall oroesi mewn cynefin o ddŵr a thir.
10) Enwch dri addasiad sydd gan *bry genwair/mwydyn* fel y gall oroesi mewn cynefin o bridd.
11) Enwch dri addasiad sydd gan *wrachen ludw* fel y gall fyw mewn cynefin o dan gerrig a rhisgl.
12) Edrychwch ar y *gadwyn fwyd* isod ac atebwch y cwestiynau o a) hyd ff).

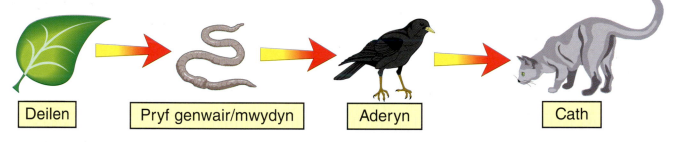

| Deilen | Pryf genwair/mwydyn | Aderyn | Cath |

a) Enwch y *cynhyrchydd*.
b) *Sawl* ysydd sydd yna?
c) Enwch *ysydd*.
ch) Enwch *ysglyfaeth* y *gath*.
d) Enwch *ysglyfaeth* yr *aderyn du*.

dd) Beth yw *ysglyfaethwr* y *pryf genwair/mwydyn*?
e) Beth yw *ysglyfaethwr* yr *aderyn du*?
f) Pa anifail sydd *heb ysglyfaethwyr*?
ff) Enwch ysydd sy'n *bwyta ysydd arall*.

13) Beth ydy ystyr saeth mewn *cadwyn fwyd*?
14) Beth ydy'r gair am anifeiliaid *sy'n cael eu bwyta gan* anifeiliaid eraill? *(Nid "anlwcus" ydy'r ateb)*
15) Beth ydy'r gair am anifeiliaid sy'n *bwyta anifeiliaid eraill*?
16) Pa ddiagram sy'n cael ei ffurfio drwy gysylltu gwahanol gadwynau bwyd *gyda'i gilydd*?

Geiriau ffansi y dylech eu gwybod

Choeliwch chi ddim, ond mae'n rhaid i chi wybod y rhain eto – rhaid i chi roi prawf arnoch eich hun drwy orchuddio'r ysgrifen ddu a nodi beth ydy ystyr y geiriau mewn lliw. Gwnewch hyn nes cewch chi nhw i gyd yn gywir.

Allwedd set o gwestiynau sy'n eich helpu i enwi anifail dieithr.

Amrywiad gwahaniaethau rhwng pethau byw.

Asennau yr esgyrn yn y frest sy'n amddiffyn y galon a'r ysgyfaint.

Asgwrn cefn yn cynnal y corff.

Atgenhedliad/Atgenhedlu cynhyrchu cenhedlaeth newydd – anifeiliaid yn cael rhai bach, planhigion newydd yn tyfu o hadau.

Blaenddannedd dannedd hirfain sy'n torri bwyd.

Briger rhan wrywol planhigyn.

Bwyd planhigol mwynau a roddir i blanhigion i wneud iddyn nhw dyfu'n well – mae'r planhigyn yn gwneud ei fwyd ei hunan.

Cadwyn fwyd mae'n dangos beth sy'n fwyd i beth.

Carbohydradau bwyd sy'n rhoi egni i'r corff – mae dau fath, startsh a siwgrau.

Carpel rhan fenywol blodyn.

Cell rhannau bach iawn sydd ym mhopeth byw.

Cigysydd anifail sy'n bwyta anifeiliaid eraill yn unig.

Cilddannedd dannedd sy'n malu bwyd yn fân.

Cloroffyl y sylwedd gwyrdd mewn planhigion sy'n caniatáu iddyn nhw wneud bwyd drwy ffotosynthesis.

Coesyn mae'n dal y planhigyn yn syth.

Colofnig y rhan sy'n cynnal y stigma.

Curiad y galon y galon yn pwmpio gwaed.

Cyfangu/Cyfangiad cyhyr yn byrhau.

Cyfradd curiad y galon sawl gwaith mae'r galon yn curo mewn munud.

Cyhyrau maen nhw'n tynnu ar yr esgyrn i'ch galluogi i symud.

Cylchred bywyd y camau mae organeb yn mynd drwyddyn nhw o ffrwythloniad hyd farw.

Cynefin lle mae organeb yn byw.

Cynhyrchydd organeb sy'n gwneud ei bwyd ei hun e.e. planhigyn.

Dannedd llygad dannedd hirfain i rwygo bwyd.

Diet cytbwys diet sy'n rhoi i'r corff y swm cywir o'r holl faetholynnau mae eu hangen.

Dosbarthiad grwpio organebau tebyg gyda'i gilydd.

Eginiad/egino hedyn yn dechrau tyfu.

Fertebrat anifail sydd ag asgwrn cefn.

Firws math o ficrob.

Ffotosynthesis gwneud bwyd o garbon deuocsid a dŵr – rhaid cael cloroffyl a golau haul.

Ffrwythloni/Ffrwythloniad sberm yn uno ag wy neu ronyn paill yn uno ag ofwl.

Germ enw anwyddonol am ficrob.

Glasoed y corff yn newid a datblygu rhwng 10 a 18 oed.

Gwasgaru/Gwasgariad lladaenu hadau ymhell i ffwrdd oddi wrth y planhigyn gwreiddiol.

Gwe fwyd nifer o gadwynau bwyd wedi eu cysylltu gyda'i gilydd.

Gwraidd y rhan o'r planhigyn sydd dan y ddaear ac yn cymryd dŵr i mewn.

Gwythïen mae'n cludo gwaed yn ôl i'r galon.

Llysysydd anifail sy'n bwyta planhigion yn unig.

Maethiad cael bwyd er mwyn tyfu.

Maetholynnau cemegau mae'n rhaid i organebau eu cael i dyfu.

Microb/Micro-organeb rhywbeth byw bach iawn, iawn.

Mwynau yn angenrheidiol i helpu planhigion i dyfu.

Ofari lle mae wyau yn cael eu gwneud.

Organ rhan o'r corff sydd â gwaith arbennig.

Organeb rhywbeth byw, anifail neu blanhigyn.

Paill y rhan wrywol sy'n gwneud hedyn newydd.

Peilliad/Peillio y paill yn mynd at y stigma.

Penglog yr esgyrn sy'n amddiffyn yr ymennydd.

Protein bwyd sy'n adeiladu cyhyrau.

Pwls rhythm y galon yn curo.

Resbiradaeth/Resbiradu defnyddio ocsigen i droi bwyd yn egni.

Rhydweli pibell waed sy'n cludo bwyd ac ocsigen i gelloedd y corff.

Sepal mae'n amddiffyn y petalau pan fydd y blodyn yn dal yn y blagur.

Sgîl-effaith rhywbeth sy'n digwydd yn ogystal â'r hyn ddylai ddigwydd.

Siwgrau math o garbohydrad e.e. mêl.

Startsh math o garbohydrad e.e. pasta.

Stigma mae ar ben y carpel, lle mae'r paill yn glanio.

Tendon mae'n cysylltu'r cyhyr i'r asgwrn.

Wedi addasu yn gweddu i'r amgylchedd lle mae'r organeb yn byw.

Ymlacio/Llaesu y cyhyrau'n ymestyn.

Ysgarthu cael gwared o wastraff o'r corff.

Ysglyfaeth anifail gaiff ei ladd a'i fwyta gan ysglyfaethwr.

Ysglyfaethwr anifail sy'n bwyta anifeiliaid eraill.

Ysydd rhywbeth sy'n ysu bwyd ac nid yn ei gynhyrchu e.e. anifail.

EDRYCH AR DDEFNYDDIAU

Naturiol neu Synthetig

Mae popeth yn y byd wedi ei wneud o *DDEFNYDDIAU*.

1) Mae rhai pethau wedi eu gwneud o *ddefnyddiau naturiol*

a) Mae rhai *DEFNYDDIAU NATURIOL* i'w cael *O DAN WYNEB Y DDAEAR*

er enghraifft:

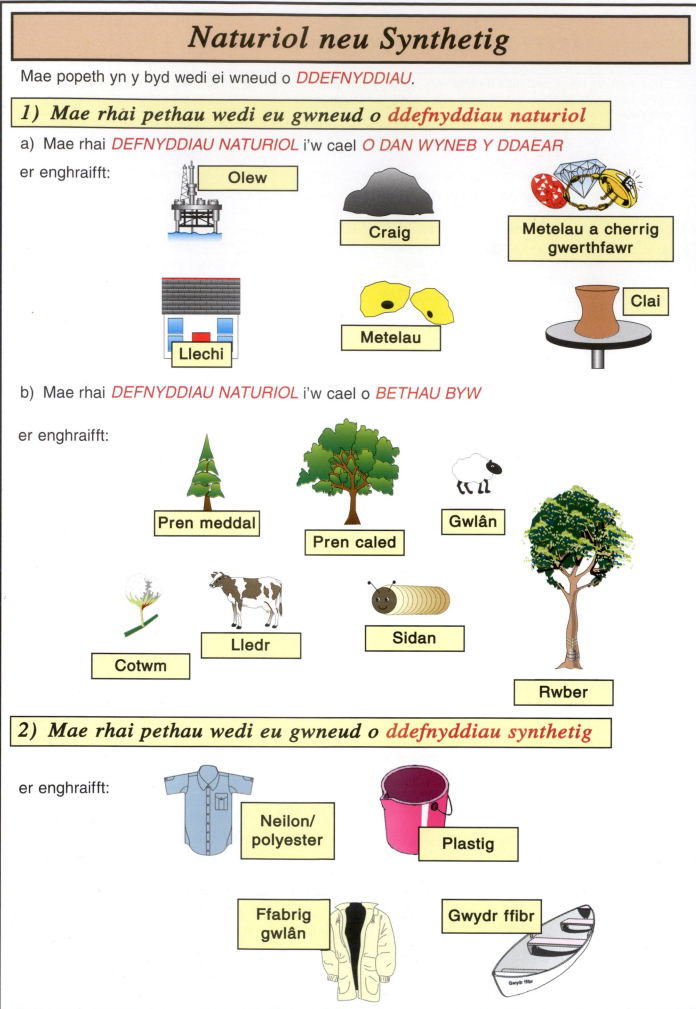

Olew

Craig

Metelau a cherrig gwerthfawr

Llechi

Metelau

Clai

b) Mae rhai *DEFNYDDIAU NATURIOL* i'w cael o *BETHAU BYW*

er enghraifft:

Pren meddal

Pren caled

Gwlân

Cotwm

Lledr

Sidan

Rwber

2) Mae rhai pethau wedi eu gwneud o *ddefnyddiau synthetig*

er enghraifft:

Neilon/ polyester

Plastig

Ffabrig gwlân

Gwydr ffibr

Naturiol neu Synthetig

3) Mae rhai pethau wedi eu gwneud o *ddefnyddiau naturiol* sydd wedi cael eu *newid*

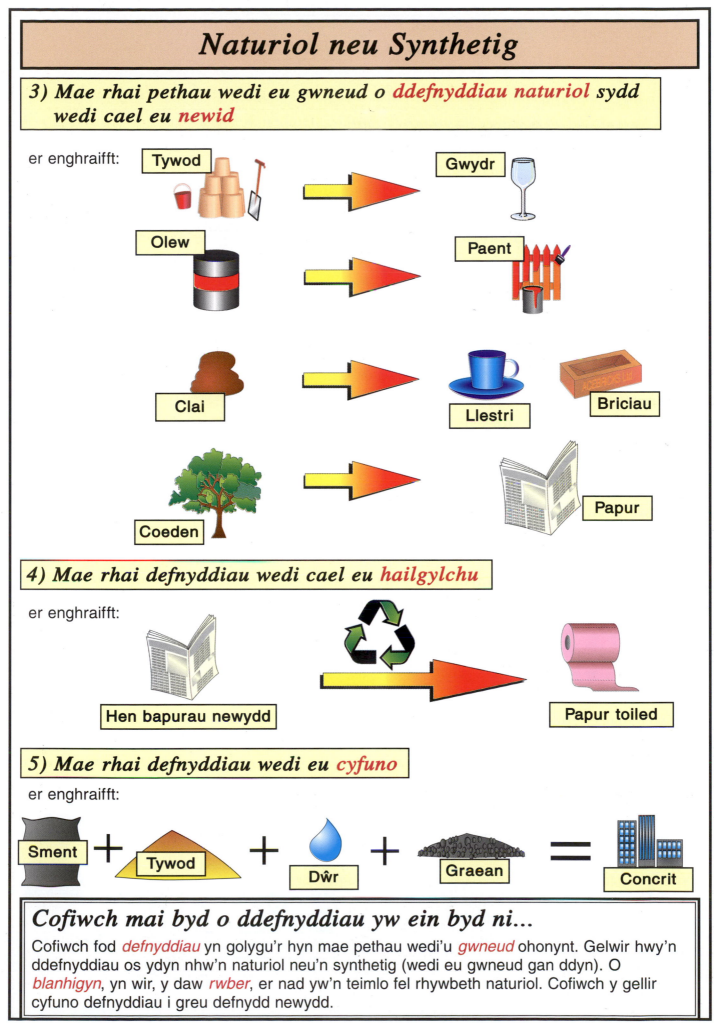

er enghraifft:

Tywod → Gwydr

Olew → Paent

Clai → Llestri / Briciau

Coeden → Papur

4) Mae rhai defnyddiau wedi cael eu *hailgylchu*

er enghraifft:

Hen bapurau newydd → Papur toiled

5) Mae rhai defnyddiau wedi eu *cyfuno*

er enghraifft:

Sment + Tywod + Dŵr + Graean = Concrit

Cofiwch mai byd o ddefnyddiau yw ein byd ni...

Cofiwch fod *defnyddiau* yn golygu'r hyn mae pethau wedi'u *gwneud* ohonynt. Gelwir hwy'n ddefnyddiau os ydyn nhw'n naturiol neu'n synthetig (sydei eu gwneud gan ddyn). O *blanhigyn*, yn wir, y daw *rwber*, er nad yw'n teimlo fel rhywbeth naturiol. Cofiwch y gellir cyfuno defnyddiau i greu defnydd newydd.

Cymharu Defnyddiau

Mae gan ddefnyddiau briodweddau sy'n eu gwneud yn ddefnyddiol

Rhaid gallu disgrifio a chymharu priodweddau defnydd a dweud pam mae'n cael ei ddefnyddio i bwrpas arbennig. Rydyn ni'n defnyddio defnyddiau arbennig i wneud gwaith arbennig...

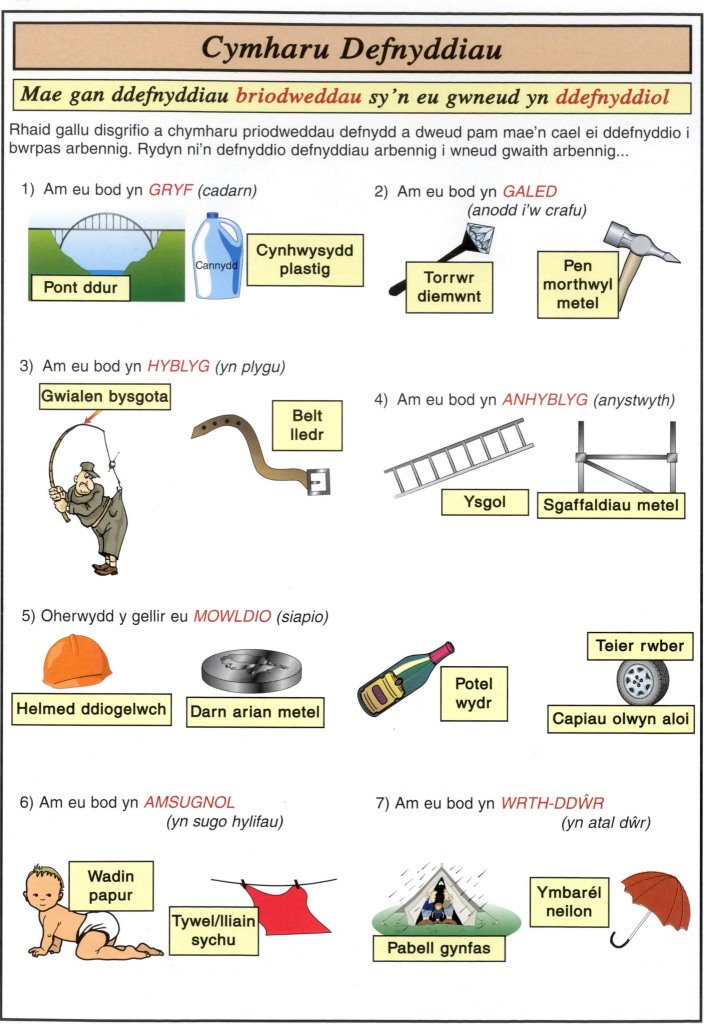

1) Am eu bod yn *GRYF (cadarn)*

Pont ddur

Cannydd

Cynhwysydd plastig

2) Am eu bod yn *GALED (anodd i'w crafu)*

Torrwr diemwnt

Pen morthwyl metel

3) Am eu bod yn *HYBLYG (yn plygu)*

Gwialen bysgota

Belt lledr

4) Am eu bod yn *ANHYBLYG (anystwyth)*

Ysgol

Sgaffaldiau metel

5) Oherwydd y gellir eu *MOWLDIO (siapio)*

Helmed ddiogelwch

Darn arian metel

Potel wydr

Teier rwber

Capiau olwyn aloi

6) Am eu bod yn *AMSUGNOL (yn sugo hylifau)*

Wadin papur

Tywel/lliain sychu

7) Am eu bod yn *WRTH-DDŴR (yn atal dŵr)*

Pabell gynfas

Ymbarél neilon

ADRAN 6 – EDRYCH AR DDEFNYDDIAU

Cymharu Defnyddiau

8) Am eu bod yn *DRYLOYW* (gellir gweld drwyddynt)

Gwydr

Neu'n 9) *DDI-DRAIDD* (ni ellir gweld drwyddynt)

Ffabrig

10) Am eu bod yn gallu *ARNOFIO* (ddim yn suddo)

Hwyaden blastig

Neu'n 11) *SUDDO* (ddim yn arnofio)

Angor metel

12) Am eu bod yn *YMESTYN*

Ffabrig sy'n ymestyn

Elastig

neu 13) Oherwydd y gellir eu *CYWASGU* (gwasgu i lawr)

Sbring metel

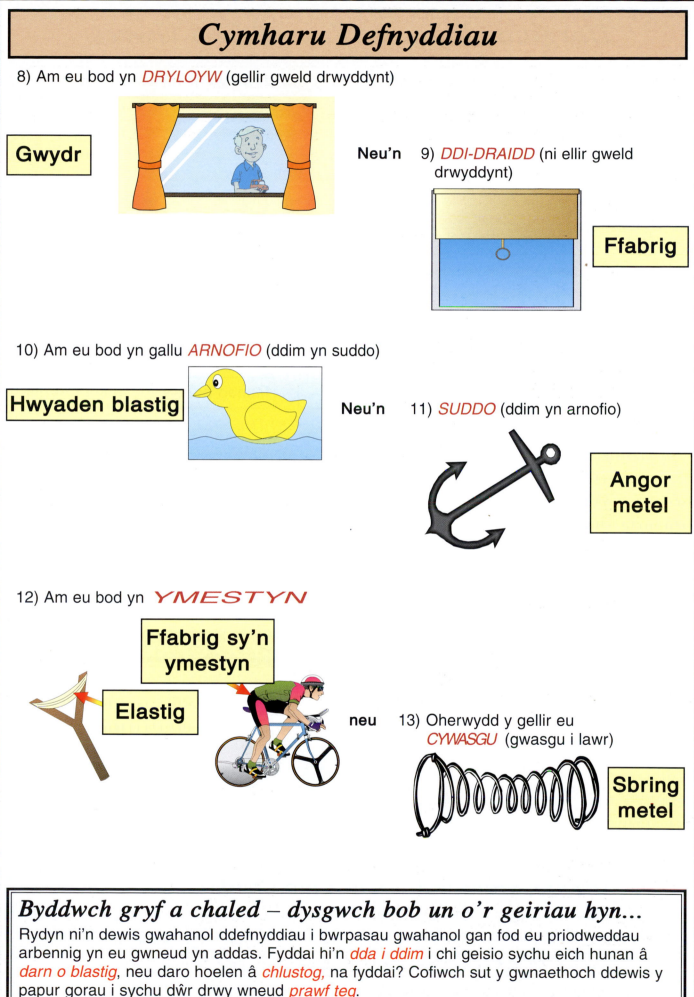

Byddwch gryf a chaled – dysgwch bob un o'r geiriau hyn...

Rydyn ni'n dewis gwahanol ddefnyddiau i bwrpasau gwahanol gan fod eu priodweddau arbennig yn eu gwneud yn addas. Fyddai hi'n *dda i ddim* i chi geisio sychu eich hunan â *darn o blastig*, neu daro hoelen â *chlustog,* na fyddai? Cofiwch sut y gwnaethoch ddewis y papur gorau i sychu dŵr drwy wneud *prawf teg.*

Dargludyddion ac Ynysyddion Gwres

1) *Mae rhai defnyddiau'n gadael i wres fynd drwyddyn nhw'n hawdd*

1) Yr enw ar y defnyddiau hyn ydy *DARGLUDYDDION THERMOL*.
2) Mae *METELAU* yn *DDARGLUDYDDION THERMOL* da.
3) Am fod gwres yn symud drwyddyn nhw'n gyflym
— mae metelau fel arfer yn teimlo'n *OER*.

2) *Dydy rhai defnyddiau ddim yn gadael i wres fynd drwyddyn nhw*

1) Yr enw ar ddefnyddiau sydd ddim yn gadael i wres fynd drwyddyn nhw ydy
YNYSYDDION THERMOL.

Tegell plastig | Stand corcyn i botyn | Handlen bren | Maneg bobty | Fest thermol

2) Mae plastig, corcyn, pren a ffabrigau'n *YNYSYDDION THERMOL* da.
3 Mae ynysyddion thermol yn dda i gadw gwres *ALLAN* yn ogystal ag i *MEWN*.

GWRES ALLAN   **GWRES I MEWN**

Blwch oer   Thermos   Cwpan polystyren

Cadw'n oer   **YN GWNEUD Y DDAU**   Cadw'n boeth

YNYSYDD DA = DARGLUDYDD GWAEL

3) *Mae gwres yn symud o ddefnydd cynnes i ddefnydd oer*

POETH   OER

GWRES

Mae gwres fel ymwelydd – mae'n hoffi teithio...

Cofiwch mai *dim ond* teithio o bethau *poeth* i bethau *oerach* mae gwres, *byth* y ffordd arall. Mae rhai pethau'n gadael i wres fynd drwyddynt yn hawdd a rhai ddim yn gwneud hynny. Meddyliwch am sosban – mae'r gwres yn mynd drwy'r *sosban* i'r bwyd, ond *dydy e ddim* yn mynd drwy'r *handlen* at eich bysedd. Cofiwch y gall y defnyddiau sy'n cadw gwres allan o rywbeth hefyd gadw gwres i mewn ynddo.

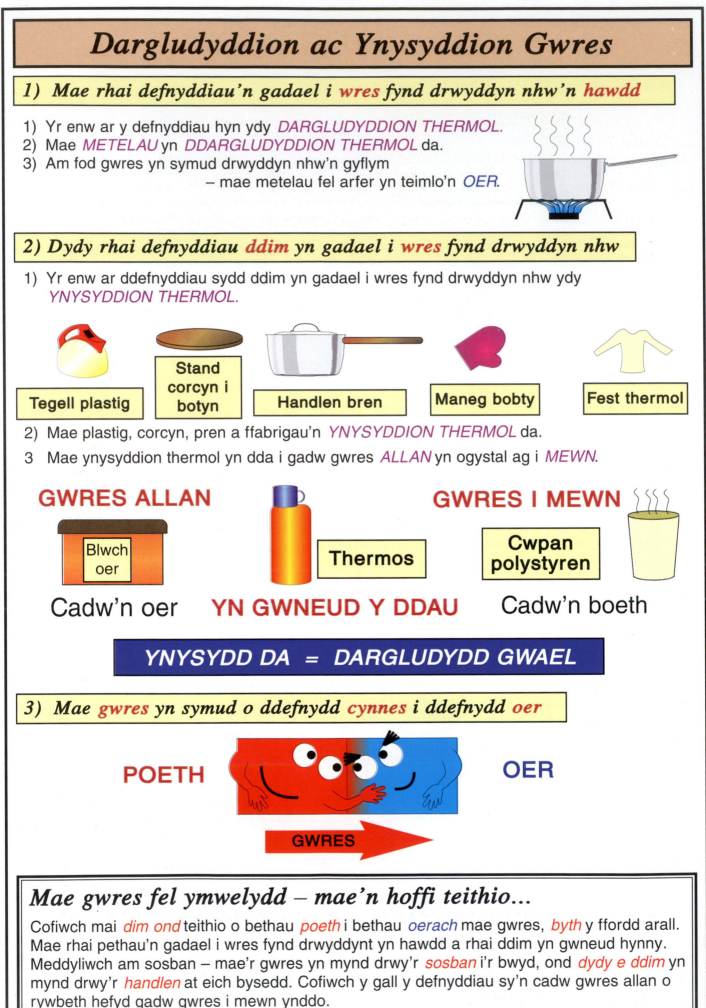

Dargludyddion ac Ynysyddion Trydan

1) Mae dargludyddion yn gadael i drydan lifo drwyddyn nhw

1) Yr enw ar ddefnyddiau sy'n gadael i drydan lifo drwyddyn nhw ydy *dargludyddion* – maen nhw'n *dargludo* trydan.
2) Mae *metelau* fel copr, haearn, dur ac alwminiwm i gyd yn ddargludyddion trydan da.

2) Dydy ynysyddion ddim yn gadael i drydan lifo drwyddyn nhw

1) Yr enw ar ddefnyddiau sydd *ddim* yn gadael i drydan lifo drwyddyn nhw ydy *ynysyddion* – dydyn nhw ddim yn dargludo trydan.
2) Mae pren, plastig, gwydr a rwber i gyd yn ynysyddion.

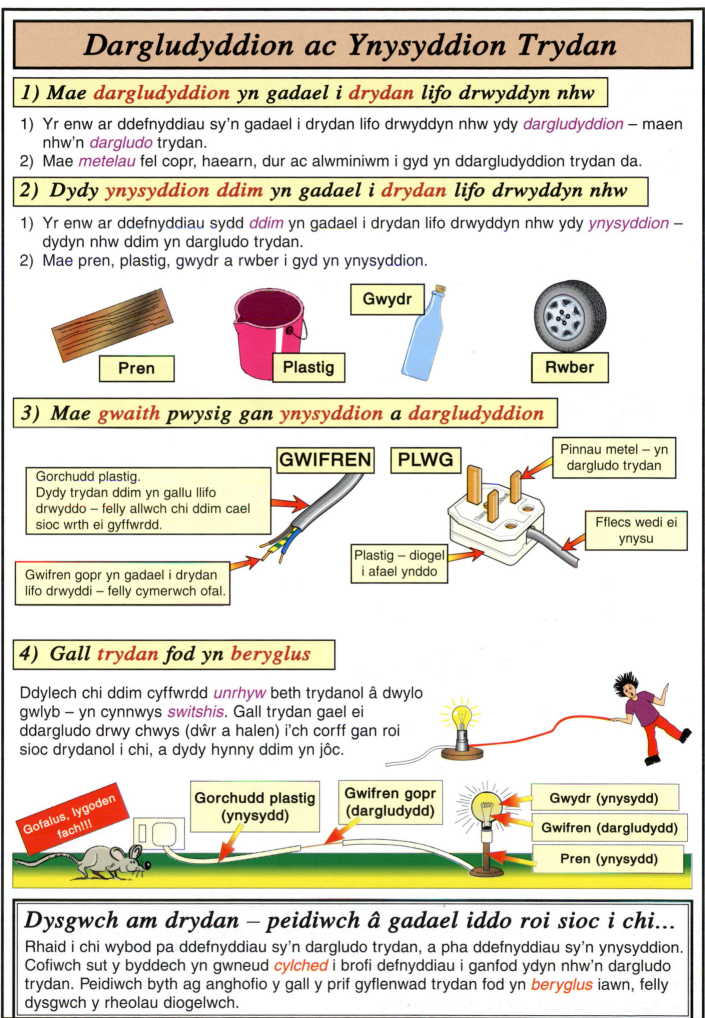

Gwydr

Pren

Plastig

Rwber

3) Mae gwaith pwysig gan ynysyddion a dargludyddion

GWIFREN

PLWG

Gorchudd plastig.
Dydy trydan ddim yn gallu llifo drwyddo – felly allwch chi ddim cael sioc wrth ei gyffwrdd.

Gwifren gopr yn gadael i drydan lifo drwyddi – felly cymerwch ofal.

Pinnau metel – yn dargludo trydan

Fflecs wedi ei ynysu

Plastig – diogel i afael ynddo

4) Gall trydan fod yn beryglus

Ddylech chi ddim cyffwrdd *unrhyw* beth trydanol â dwylo gwlyb – yn cynnwys *switshis*. Gall trydan gael ei ddargludo drwy chwys (dŵr a halen) i'ch corff gan roi sioc drydanol i chi, a dydy hynny ddim yn jôc.

Gofalus, lygoden fach!!!

Gorchudd plastig (ynysydd)

Gwifren gopr (dargludydd)

Gwydr (ynysydd)

Gwifren (dargludydd)

Pren (ynysydd)

Dysgwch am drydan – peidiwch â gadael iddo roi sioc i chi...

Rhaid i chi wybod pa ddefnyddiau sy'n dargludo trydan, a pha ddefnyddiau sy'n ynysyddion. Cofiwch sut y byddech yn gwneud *cylched* i brofi defnyddiau i ganfod ydyn nhw'n dargludo trydan. Peidiwch byth ag anghofio y gall y prif gyflenwad trydan fod yn *beryglus* iawn, felly dysgwch y rheolau diogelwch.

Defnyddiau Magnetig

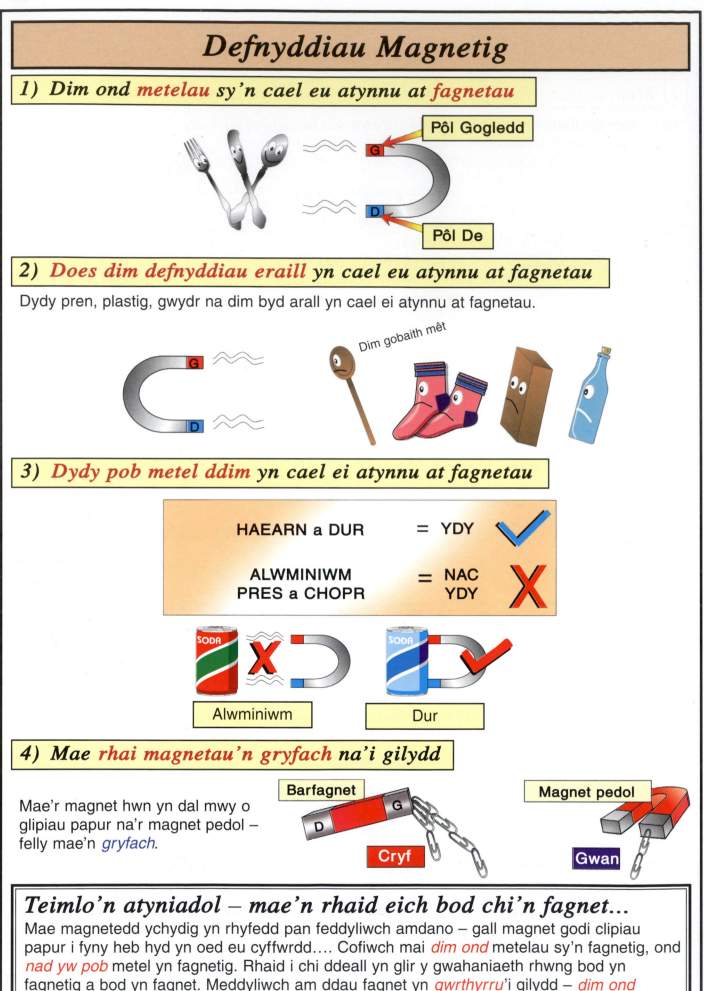

1) *Dim ond metelau sy'n cael eu atynnu at fagnetau*

Pôl Gogledd

Pôl De

2) *Does dim defnyddiau eraill yn cael eu atynnu at fagnetau*

Dydy pren, plastig, gwydr na dim byd arall yn cael ei atynnu at fagnetau.

Dim gobaith mêt

3) *Dydy pob metel ddim yn cael ei atynnu at fagnetau*

| HAEARN a DUR | = YDY |
| ALWMINIWM PRES a CHOPR | = NAC YDY |

Alwminiwm

Dur

4) *Mae rhai magnetau'n gryfach na'i gilydd*

Mae'r magnet hwn yn dal mwy o glipiau papur na'r magnet pedol – felly mae'n *gryfach*.

Barfagnet

Cryf

Magnet pedol

Gwan

Teimlo'n atyniadol – mae'n rhaid eich bod chi'n fagnet...

Mae magnetedd ychydig yn rhyfedd pan feddyliwch amdano – gall magnet godi clipiau papur i fyny heb hyd yn oed eu cyffwrdd.... Cofiwch mai *dim ond* metelau sy'n fagnetig, ond *nad yw pob* metel yn fagnetig. Rhaid i chi ddeall yn glir y gwahaniaeth rhwng bod yn fagnetig a bod yn fagnet. Meddyliwch am ddau fagnet yn *gwrthyrru*'i gilydd – *dim ond* magnetau all wneud hynny.

Pren

1) Daw *pren* o *goed* ac mae'n ddefnydd *naturiol*

1) Daw'r rhan fwyaf o brennau caled o goed collddail
(coed sy'n colli eu dail).

2) Daw'r rhan fwyaf o brennau meddal o goed bythwyrdd *(coed sydd ddim yn colli eu dail).*

2) Mae gan bren lawer o *briodweddau defnyddiol*

Yn hawdd ei siapio

Cryf ond hyblyg (yn plygu)

Yn arnofio

Bwlb ddim yn goleuo

Yn ynysydd

OND:

Mae angen amddiffyn pren neu fe fydd yn pydru

3) Gall *newid* pren ei wneud yn fwy *defnyddiol*

Mae pren yn cael ei losgi i roi gwres

Mae'n cael ei wneud yn olosg

Mae'n cael ei wneud yn fwrdd sglodion

4) Mae pren yn cael ei falu'n fân i wneud *papur*

1) Mae papur yn cael ei gynhyrchu (ei wneud) o bren.

2) Mae gwahanol briodweddau i rai mathau o bapur – gwych i bwrpasau gwahanol.

PAPUR

3) Gellir ailgylchu papur ac mae'n pydru.

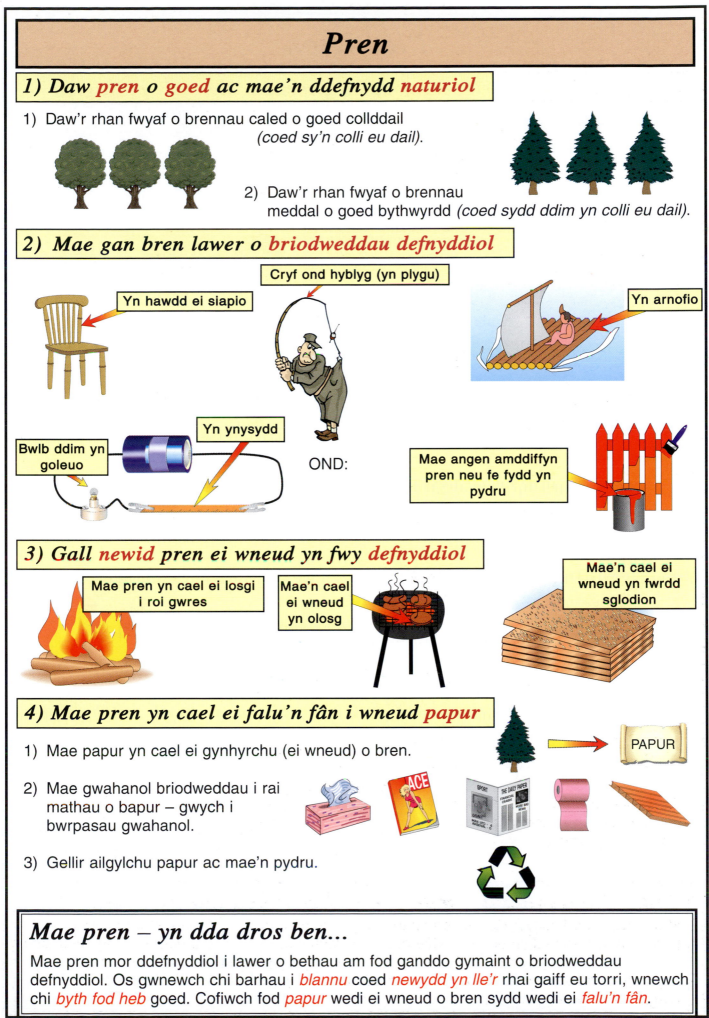

Mae pren – yn dda dros ben...

Mae pren mor ddefnyddiol i lawer o bethau am fod ganddo gymaint o briodweddau defnyddiol. Os gwnewch chi barhau i *blannu* coed *newydd yn lle'r* rhai gaiff eu torri, wnewch chi *byth fod heb* goed. Cofiwch fod *papur* wedi ei wneud o bren sydd wedi ei *falu'n fân.*

Plastigion

1) Defnyddiau *synthetig* a gafodd eu gwneud o *olew* ydy *plastigion*

Mae gan blastigion ddigonedd o BRIODWEDDAU DEFNYDDIOL.

1) Gellir eu gwneud yn *unrhyw siâp*.

2) Maen nhw'n *ysgafn*.

3) Maen nhw'n gallu bod mewn *lliw*, yn *ddi-draidd* neu'n *dryloyw*.

4) Maen nhw'n *gryf*.

5) Maen nhw'n *ynysyddion* da.

6) Maen nhw'n *wrth-ddŵr*.

7) Maen nhw'n *anfagnetig*.

2) Mae'n *anodd* cael *gwared* o blastigion

1) Gall rhai gael eu *hailddefnyddio* neu eu *hailgylchu*.

2) Dydy'r rhan fwyaf ohonyn nhw ddim yn *pydru*.

3) Mae rhai o'r rhai diweddaraf yn *fioddiraddadwy* (yn pydru).

40 mlwydd oed ac yn dal yn gryf

2 flwydd oed ac wedi pydru

3) Mae *llawer o ddefnydd* iddyn nhw

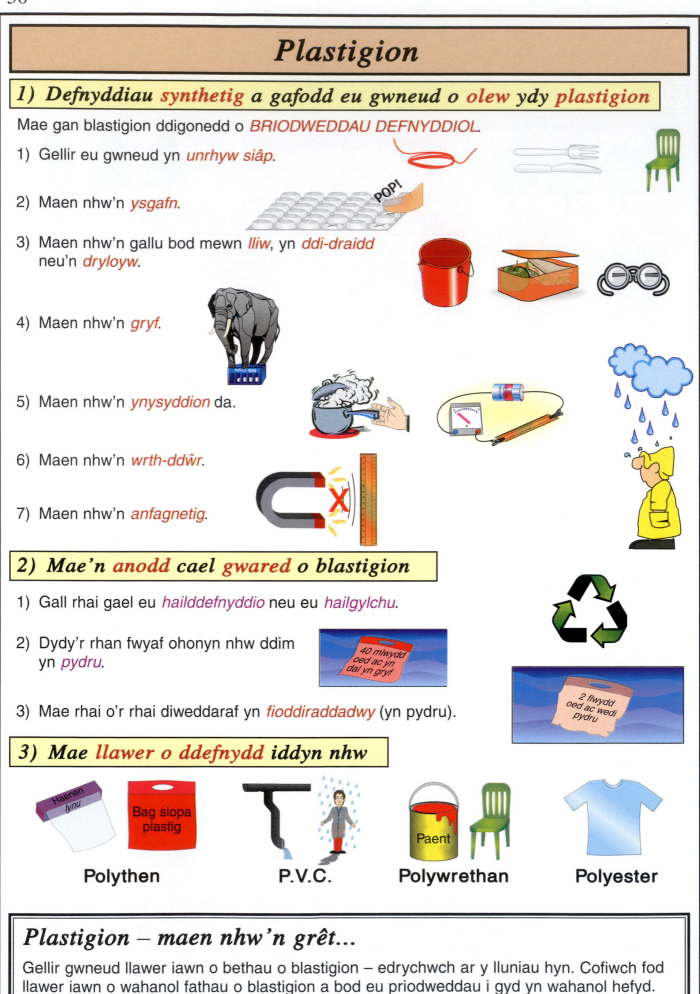

Polythen **P.V.C.** **Polywrethan** **Polyester**

Plastigion – maen nhw'n grêt...

Gellir gwneud llawer iawn o bethau o blastigion – edrychwch ar y lluniau hyn. Cofiwch fod llawer iawn o wahanol fathau o blastigion a bod eu priodweddau i gyd yn wahanol hefyd. Gellir hyd yn oed wneud ffabrigau fel *neilon* o rai ohonyn nhw.

Ffabrigau

1) Gwneir ffabrigau o ffibrau sydd wedi'u gwehyddu gyda'i gilydd

1) Mae rhai ffibrau'n *naturiol*.

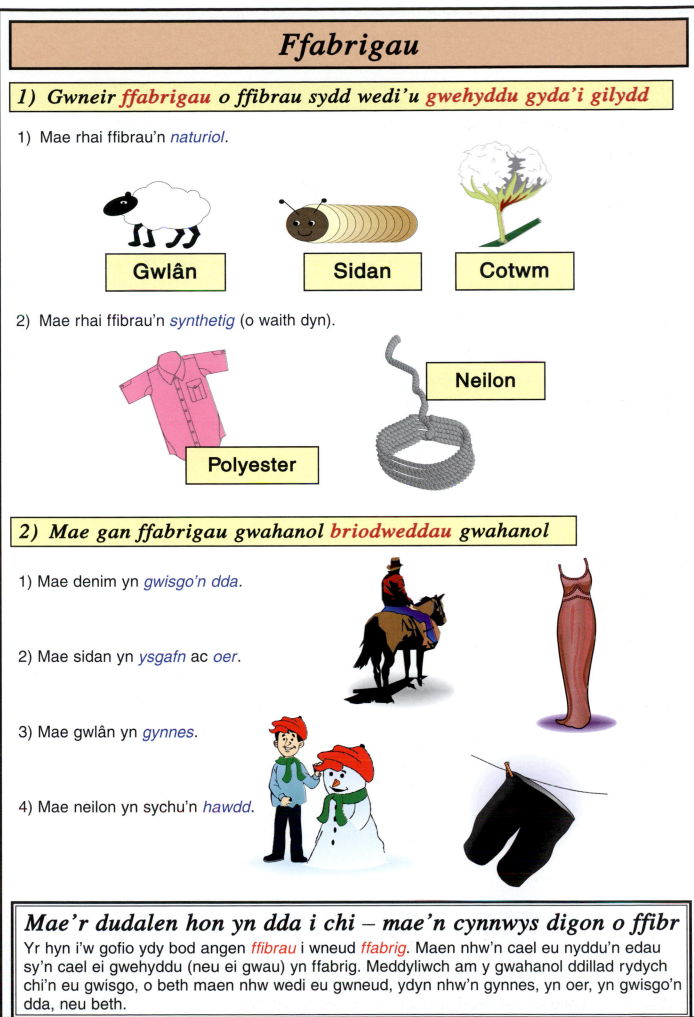

Gwlân

Sidan

Cotwm

2) Mae rhai ffibrau'n *synthetig* (o waith dyn).

Neilon

Polyester

2) Mae gan ffabrigau gwahanol briodweddau gwahanol

1) Mae denim yn *gwisgo'n dda*.

2) Mae sidan yn *ysgafn* ac *oer*.

3) Mae gwlân yn *gynnes*.

4) Mae neilon yn sychu'n *hawdd*.

Mae'r dudalen hon yn dda i chi – mae'n cynnwys digon o ffibr

Yr hyn i'w gofio ydy bod angen *ffibrau* i wneud *ffabrig*. Maen nhw'n cael eu nyddu'n edau sy'n cael ei gwehyddu (neu ei gwau) yn ffabrig. Meddyliwch am y gwahanol ddillad rydych chi'n eu gwisgo, o beth maen nhw wedi eu gwneud, ydyn nhw'n gynnes, yn oer, yn gwisgo'n dda, neu beth.

Gwydr

1) Gwneir gwydr drwy wresogi tywod

Er fod hynny'n swnio'n rhyfedd!

2) Mae gan wydr lawer o briodweddau defnyddiol

Mae gwydr yn dryloyw

Mae gwydr yn gryf ond gall dorri

Gellir mowldio gwydr, ei chwythu neu'i liwio

Gellir defnyddio gwydr i wneud drychau a lensiau

Gellir gwneud gwydr yn wydr ffibr

3) Dydy gwydr ddim yn pydru

4) Gall gwydr gael ei ailddefnyddio neu'i ailgylchu

Gellir glanhau poteli gwag a'u defnyddio eto, neu gellir eu malu'n fân a'u toddi i wneud poteli newydd.

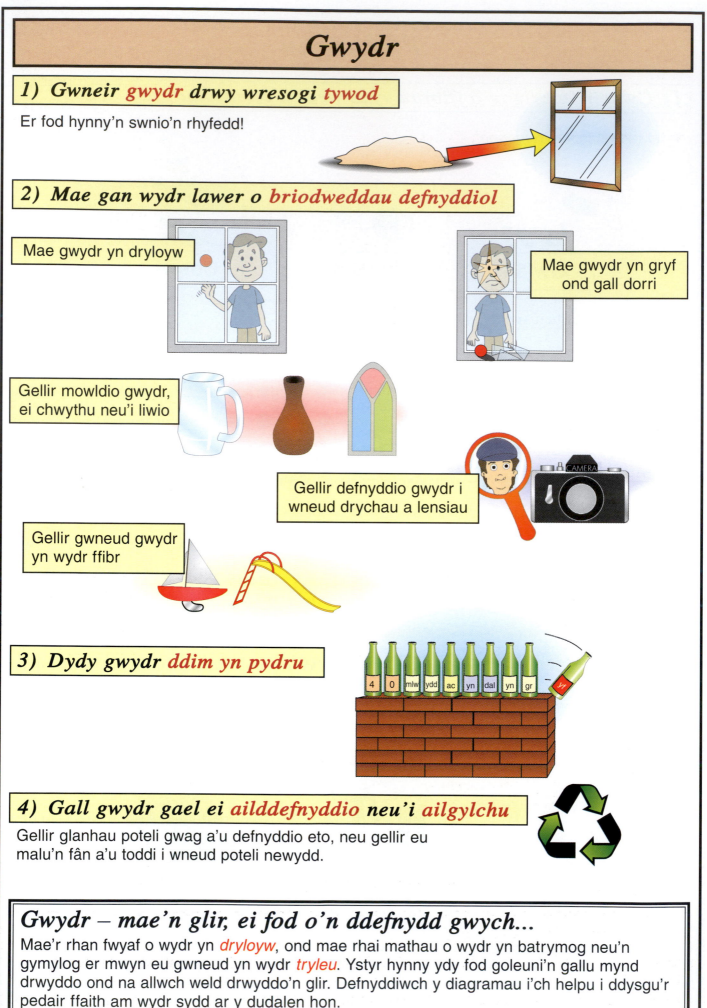

Gwydr – mae'n glir, ei fod o'n ddefnydd gwych...

Mae'r rhan fwyaf o wydr yn *dryloyw*, ond mae rhai mathau o wydr yn batrymog neu'n gymylog er mwyn eu gwneud yn wydr *tryleu*. Ystyr hynny ydy fod goleuni'n gallu mynd drwyddo ond na allwch weld drwyddo'n glir. Defnyddiwch y diagramau i'ch helpu i ddysgu'r pedair ffaith am wydr sydd ar y dudalen hon.

Metelau

1) Mae metelau i'w canfod dan y ddaear

1) Mae aur, arian a phlatinwm i'w canfod fel *lympiau pur*.

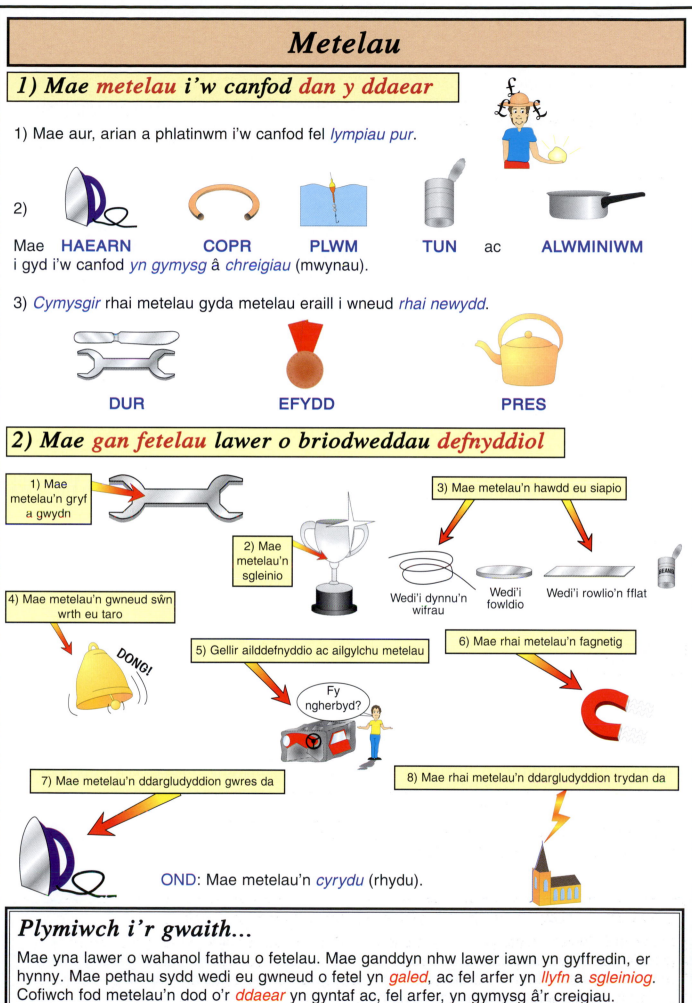

2) Mae **HAEARN** **COPR** **PLWM** **TUN** ac **ALWMINIWM**
i gyd i'w canfod *yn gymysg* â *chreigiau* (mwynau).

3) *Cymysgir* rhai metelau gyda metelau eraill i wneud *rhai newydd*.

DUR   **EFYDD**   **PRES**

2) Mae gan fetelau lawer o briodweddau defnyddiol

1) Mae metelau'n gryf a gwydn

2) Mae metelau'n sgleinio

3) Mae metelau'n hawdd eu siapio

Wedi'i dynnu'n wifrau

Wedi'i fowldio

Wedi'i rowlio'n fflat

4) Mae metelau'n gwneud sŵn wrth eu taro

DONG!

5) Gellir ailddefnyddio ac ailgylchu metelau

Fy ngherbyd?

6) Mae rhai metelau'n fagnetig

7) Mae metelau'n ddargludyddion gwres da

8) Mae rhai metelau'n ddargludyddion trydan da

OND: Mae metelau'n *cyrydu* (rhydu).

Plymiwch i'r gwaith...

Mae yna lawer o wahanol fathau o fetelau. Mae ganddyn nhw lawer iawn yn gyffredin, er hynny. Mae pethau sydd wedi eu gwneud o fetel yn *galed*, ac fel arfer yn *llyfn* a *sgleiniog*. Cofiwch fod metelau'n dod o'r *ddaear* yn gyntaf ac, fel arfer, yn gymysg â'r creigiau.

Creigiau

Mae creigiau o'n cwmpas ym mhob man – dan y ddaear, ar y traethau, mewn gerddi, mewn adeiladau, mewn waliau, mewn chwareli a mynwentydd. Maen nhw'n ddefnyddiol iawn ac wedi bod felly erioed…

Dydy pob craig ddim yr un fath

1) Mae rhai creigiau'n *GALED*.

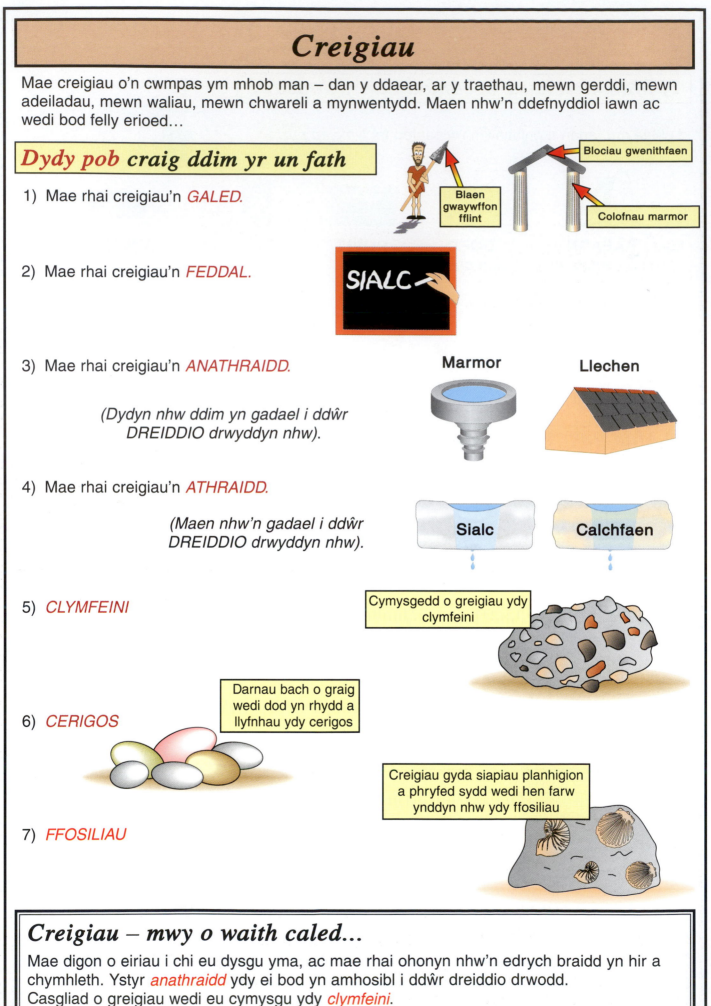

Blaen gwaywffon fflint

Blociau gwenithfaen

Colofnau marmor

2) Mae rhai creigiau'n *FEDDAL*.

SIALC

3) Mae rhai creigiau'n *ANATHRAIDD*.

> (Dydyn nhw ddim yn gadael i ddŵr DREIDDIO drwyddyn nhw).

Marmor

Llechen

4) Mae rhai creigiau'n *ATHRAIDD*.

> (Maen nhw'n gadael i ddŵr DREIDDIO drwyddyn nhw).

Sialc

Calchfaen

5) *CLYMFEINI*

> Cymysgedd o greigiau ydy clymfeini

6) *CERIGOS*

> Darnau bach o graig wedi dod yn rhydd a llyfnhau ydy cerigos

> Creigiau gyda siapiau planhigion a phryfed sydd wedi hen farw ynddyn nhw ydy ffosiliau

7) *FFOSILIAU*

Creigiau – mwy o waith caled…

Mae digon o eiriau i chi eu dysgu yma, ac mae rhai ohonyn nhw'n edrych braidd yn hir a chymhleth. Ystyr *anathraidd* ydy ei bod yn amhosibl i ddŵr dreiddio drwodd.
Casgliad o greigiau wedi eu cymysgu ydy *clymfeini*.

Pridd

1) Mae angen pridd i *dyfu planhigion* i gael bwyd

Mae pridd yn gorchuddio'r rhan fwyaf o dir y byd.

Grawnfwyd

Ffrwyth

Llysiau

Pridd

2) Cafodd *pridd* ei greu o *bedwar* peth

CREIGIAU WEDI MALU + HWMWS + AER + DŴR

Defnyddiau sydd wedi marw ac wedi pydru ydy hwmws.

3) Mae *pridd* yn *orlawn o fywyd*

Mae pryfed genwair/mwydod, trychfilod a thermitiaid yn byw a marw yn y pridd.

Bacteria

CNOI

CNOI

CNOI

Mae microbau'n darnio'r planhigion a'r anifeiliaid marw.

4) Mae *priddoedd* yn *wahanol* oherwydd fod y *creigiau* i gyd yn *wahanol*

Mae'n dibynnu pa fath o *graig wedi treulio* y daw'r pridd ohoni.

PRIDD GRAEANOG
1) Yn llawn o gerrig mân.
2) Dŵr yn draenio drwyddo'n gyflym.

PRIDD TYWODLYD
1) Ysgafn a sych.
2) Bylchau aer fel y gall dŵr ddraenio drwyddo'n gyflym.

PRIDD CLEIOG
1) Yn ludiog iawn pan fydd yn wlyb.
2) Pridd trwm.
3) Dydy dŵr ddim yn draenio drwyddo'n gyflym.

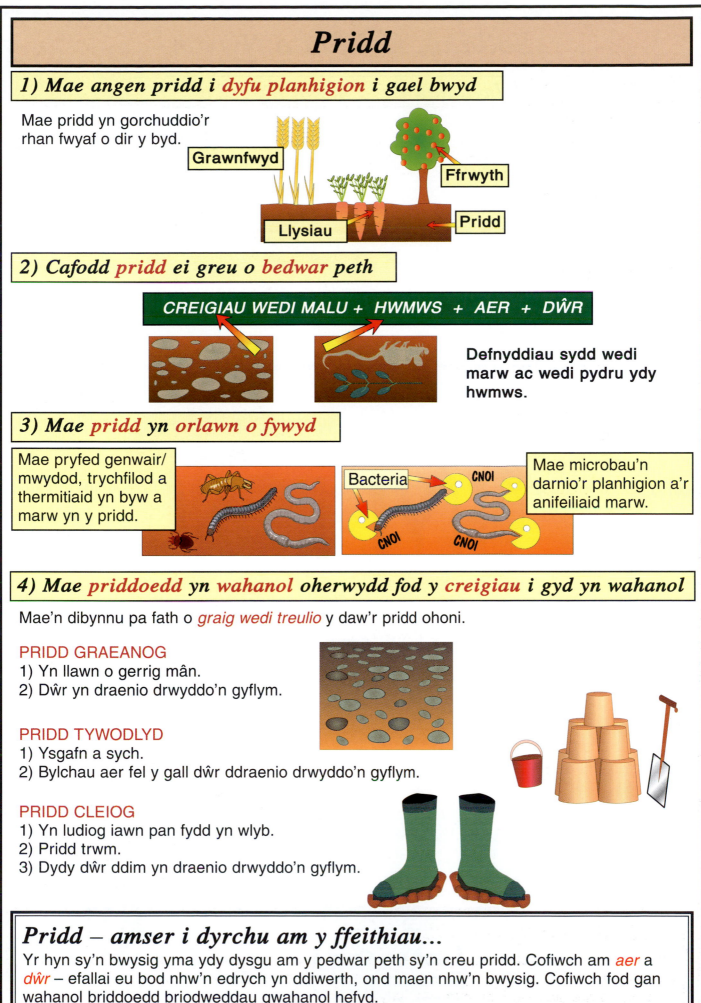

Pridd – amser i dyrchu am y ffeithiau...

Yr hyn sy'n bwysig yma ydy dysgu am y pedwar peth sy'n creu pridd. Cofiwch am *aer* a *dŵr* – efallai eu bod nhw'n edrych yn ddiwerth, ond maen nhw'n bwysig. Cofiwch fod gan wahanol briddoedd briodweddau gwahanol hefyd.

Solidau, Hylifau a Nwyon

Gellir gosod y defnyddiau *i gyd* mewn *tri grŵp*

Bricsen

Llwy fetel

SOLIDAU

Caws

Sebon

Dŵr

Sudd

HYLIFAU

Mercwri mewn thermomedr

NWYON

Priodweddau Solidau, Hylifau a Nwyon

Mae SOLIDAU

... yn hawdd eu rheoli

3) Gellir torri a siapio solidau.

1) Mae'r holl ronynnau mewn solidau wedi eu pacio'n agos i'w gilydd fel na allan nhw symud llawer.

Help!! Rwy'n cael fy ngwasgu i mewn yma!!

2) Mae solidau'n cadw eu siâp.

4) Mae unrhyw beth y gallwch afael ynddo yn solid.

Mae HYLIFAU

... yn anoddach i'w rheoli. Maen nhw eisiau rhedeg i ffwrdd o hyd!!

3) Mae hylifau yn cymryd siâp eu cynhwysydd.

sook!!

1) Dydy'r gronynnau mewn hylifau ddim wedi'u pacio mor agos ac maen nhw'n gallu symud ychydig.

Maddeuwch i mi!! Rwyf am fynd heibio!!

2) Mae hylifau yn rhedegog. Maen nhw'n llifo i lawr.

4) Mae arwyneb hylif mewn cynhwysydd yn aros yn wastad.

Mae NWYON

... yn anodd iawn i'w rheoli. Maen nhw eisiau dianc o hyd!!

3) Mae'r rhan fwyaf o nwyon yn anweledig.

1) Mae gan y gronynnau mewn nwyon ddigon o le ac maen nhw'n symud o gwmpas drwy'r amser.

Hwre!! Mae hyn yn hwyl!!

2) Mae nwyon o'n cwmpas ym mhob man, ac yn lledaenu i unrhyw leoedd gwag.

4) Gallwch wneud eich nwy eich hun hyd yn oed.

Torri gwynt!! Pardwn!!

Solidau, hylifau a nwyon – tri am bris un...

Mae'n bwysig *dysgu*'r holl *fanylion* ar y dudalen hon i wneud yn siŵr eich bod chi'n *wir* yn deall y gwahaniaeth rhwng solidau, hylifau a nwyon. Mae'n rhyfedd meddwl eu bod i gyd wedi eu gwneud o ronynnau bychain, ond os gallwch eu hystyried felly, fe fydd yn help mawr i chi.

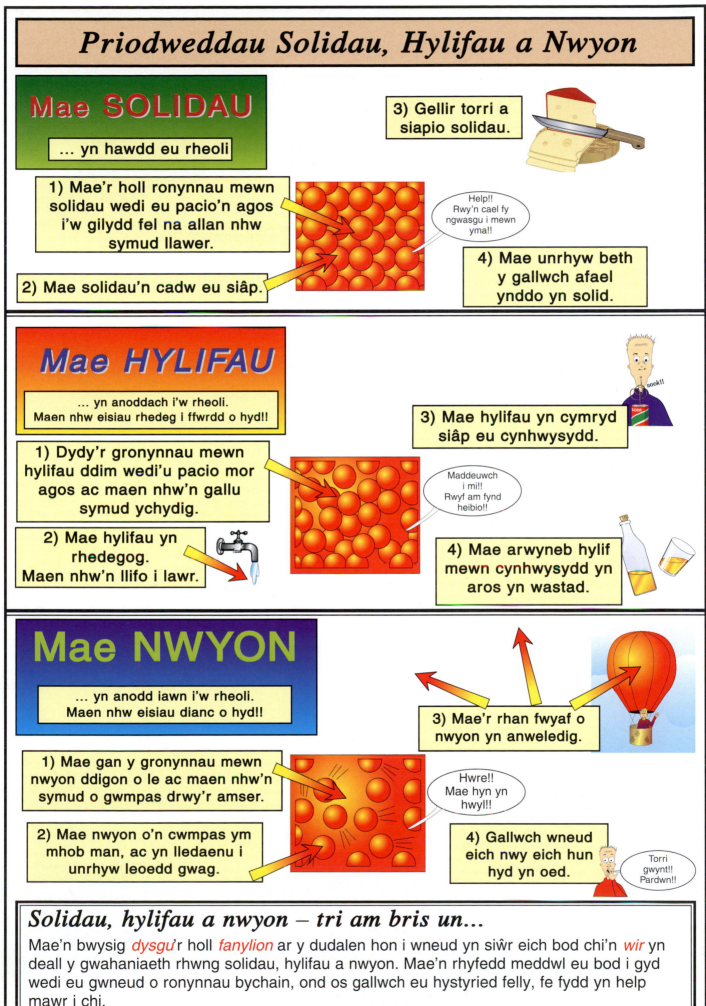

Adolygu Adran 6

Rhowch gynnig ar y rhain. *Peidiwch â phoeni* os ewch i'r wal. Edrychwch yn ôl ar y tudalennau ond ceisiwch eu cael yn iawn y tro nesaf.

1) Beth sydd gan *ddefnyddiau* sy'n eu gwneud yn ddefnyddiol?

2) Pam y defnyddir dur i adeiladu *pont*?

3) Pam mae teier wedi ei wneud o *rwber*?

4) Pa ddefnydd sydd *orau* i wneud *cwch tegan*? Dywedwch *pam*.

5) Faint o bethau allwch chi feddwl amdanyn nhw sydd wedi eu *mowldio*?

6) Gorffennwch y frawddeg hon: "Mae popeth a ddefnyddiwn yn y byd wedi ei wneud _____".

7) Enwch *bedwar* defnydd naturiol sydd i'w canfod o *dan wyneb y ddaear*.

8) Beth ydy ystyr *synthetig*?

9) Pa *ddefnydd newydd* ellir ei wneud o *glai*?

10) Enwch unrhyw ddefnydd a *ailgylchwyd*.

11) Pa un sy'n *gywir*: a) Gall gwres symud drwy *bob* defnydd; NEU   b) Gall gwres symud drwy *rai* defnyddiau.

12) Pa fath o ddefnyddiau sy'n gwneud *dargludyddion thermol* da?

13) Beth ydy *ynysydd thermol*?

14) Gorffennwch y frawddeg hon:

"Dim ond _____ sy'n cael eu hatynnu at fagnet".

15) Ydy *trydan* yn gallu llifo drwy'r rhain:
    a) Pren   b) Metel   c) Plastig?

16) Beth yw priodweddau *pren*?

17) Enwch rai *manteision* a rhai *anfanteision* plastig.

18) O beth y gwnaed *ffabrig*?

19) Sut mae *neilon* yn wahanol i *gotwm*?

20) Gorffennwch y frawddeg:

"Mae tryloywder a chryfder yn briodweddau _____".

21) Ble mae *metelau* yn cael eu canfod?

22) Faint o *briodweddau metelau* allwch chi eu cofio?

23) Enwch *bum* metel. Allwch chi gofio *mwy*?

24) Ydy creigiau i gyd yr *un fath*? Eglurwch eich ateb.

25) O beth mae *pridd* wedi ei wneud?

26) Beth ydy ystyr *athraidd*?

27) Beth ydy'r *tri grŵp* y caiff defnyddiau eu rhannu iddyn nhw? Solidau, _____, _____.

28) Beth ydy *gronynnau*?

29) Rydw i'n *anweledig*. Rydw i'n *symud yn gyflym* i lenwi unrhyw wagle. *Beth* ydw i?

30) Lluniwch frawddeg debyg am *hylif*.

ADRAN 6 – EDRYCH AR DDEFNYDDIAU

Cymysgu Defnyddiau

Gallwch wneud cymysgeddau o solidau, hylifau a nwyon

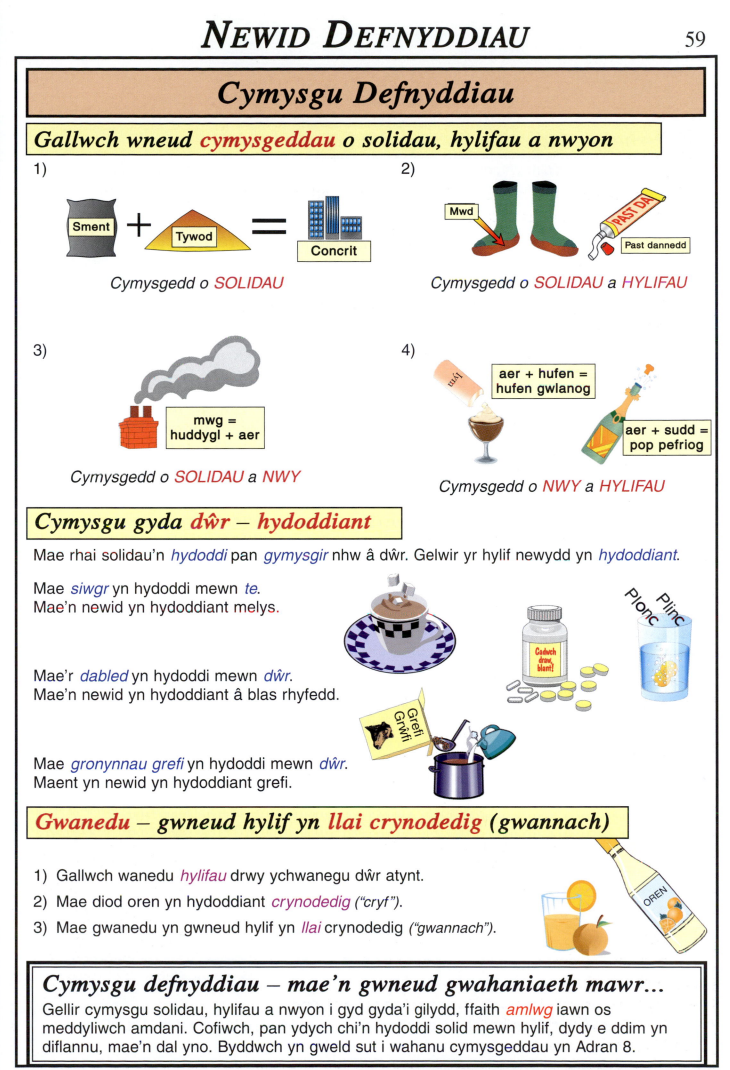

1)

Sment + Tywod = Concrit

Cymysgedd o SOLIDAU

2)

Mwd

PAST DA

Past dannedd

Cymysgedd o SOLIDAU a HYLIFAU

3)

mwg = huddygl + aer

Cymysgedd o SOLIDAU a NWY

4)

Hufen

aer + hufen = hufen gwlanog

aer + sudd = pop pefriog

Cymysgedd o NWY a HYLIFAU

Cymysgu gyda dŵr – hydoddiant

Mae rhai solidau'n *hydoddi* pan *gymysgir* nhw â dŵr. Gelwir yr hylif newydd yn *hydoddiant*.

Mae *siwgr* yn hydoddi mewn *te*.
Mae'n newid yn hydoddiant melys.

Mae'r *dabled* yn hydoddi mewn *dŵr*.
Mae'n newid yn hydoddiant â blas rhyfedd.

Plinc
Plonc

Cadwch draw, blant!

Mae *gronynnau grefi* yn hydoddi mewn *dŵr*.
Maent yn newid yn hydoddiant grefi.

Grefi
Grwfi

Gwanedu – gwneud hylif yn llai crynodedig (gwannach)

1) Gallwch wanedu *hylifau* drwy ychwanegu dŵr atynt.

2) Mae diod oren yn hydoddiant *crynodedig* *("cryf")*.

3) Mae gwanedu yn gwneud hylif yn *llai* crynodedig *("gwannach")*.

OREN

Cymysgu defnyddiau – mae'n gwneud gwahaniaeth mawr...

Gellir cymysgu solidau, hylifau a nwyon i gyd gyda'i gilydd, ffaith *amlwg* iawn os meddyliwch amdani. Cofiwch, pan ydych chi'n hydoddi solid mewn hylif, dydy e ddim yn diflannu, mae'n dal yno. Byddwch yn gweld sut i wahanu cymysgeddau yn Adran 8.

Newidiadau Ffisegol

Mae rhai newidiadau yn *newidiadau ffisegol*

Dydy'r defnyddiau ddim yn chwalu, newid eu golwg a'u teimlad maen nhw. Maen nhw'n newid *dros dro*. Er enghraifft:

iym, iym...

1) Siocled yn *ymdoddi* (gwres).

2) Dŵr yn *rhewi* (oerni).

3) Anwedd dŵr yn *cyddwyso* ar ddrych oer (oerni).

4) Pyllau dŵr yn *anweddu* i'r aer (gwres).

Gellir <u>cildroi</u> newidiadau ffisegol (eu newid yn ôl)

Gall gwresogi defnyddiau achosi *newid ffisegol*

Mae pethau'n *ymdoddi* wrth gael eu gwresogi, ac yn edrych yn wahanol

Er enghraifft mae SOLIDAU yn newid yn HYLIFAU.

siocled

cwyr cannwyll

menyn

gwresogydd

pan fydd yn *ymdoddi*, nid pan fydd yn llosgi.

Peryglus – felly peidiwch â gwneud hyn.

Gallech eu newid *yn ôl* pe baech yn eu hoeri. Gall y newidiadau hyn gael eu *CILDROI*.

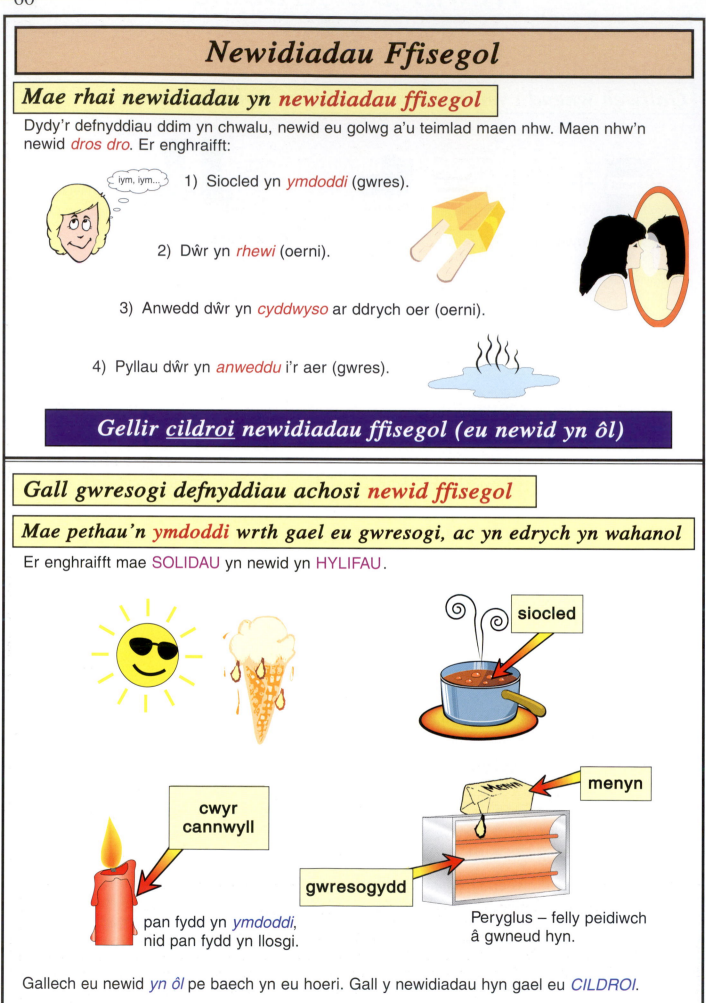

Newidiadau Ffisegol

Mae *oeri* defnyddiau'n gallu achosi *newidiadau ffisegol*

Pan ydych chi'n *oeri* hylif, mae'n newid yn *solid*

Yr enw ar y newid o hylif i solid yw *rhewi*

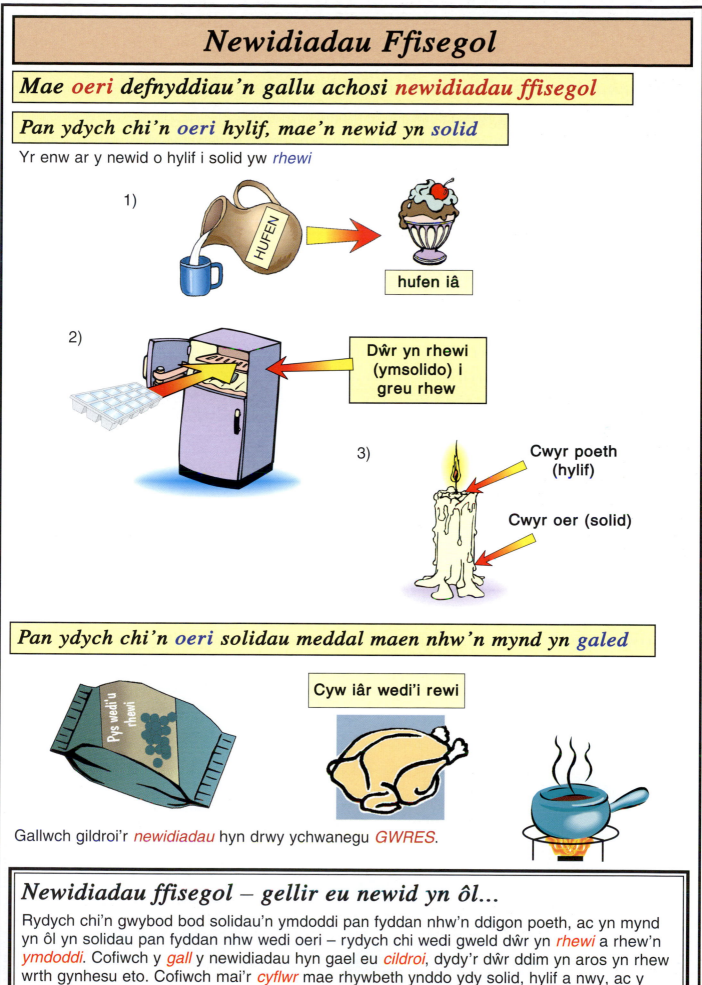

1)

hufen iâ

2)

Dŵr yn rhewi (ymsolido) i greu rhew

3)

Cwyr poeth (hylif)

Cwyr oer (solid)

Pan ydych chi'n *oeri* solidau meddal maen nhw'n mynd yn *galed*

Pys wedi'u rhewi

Cyw iâr wedi'i rewi

Gallwch gildroi'r *newidiadau* hyn drwy ychwanegu *GWRES*.

Newidiadau ffisegol – gellir eu newid yn ôl...

Rydych chi'n gwybod bod solidau'n ymdoddi pan fyddan nhw'n ddigon poeth, ac yn mynd yn ôl yn solidau pan fyddan nhw wedi oeri – rydych chi wedi gweld dŵr yn *rhewi* a rhew'n *ymdoddi*. Cofiwch y *gall* y newidiadau hyn gael eu *cildroi*, dydy'r dŵr ddim yn aros yn rhew wrth gynhesu eto. Cofiwch mai'r *cyflwr* mae rhywbeth ynddo ydy solid, hylif a nwy, ac y *gelwir* y newidiadau mewn cyflwr yn *newidiadau ffisegol*.

Newidiadau Cemegol

Mae *rhai* newidiadau yn newidiadau *cemegol*

Mewn newid cemegol, mae'r defnyddiau'n chwalu'n llwyr. Maen nhw'n newid yn gyfan gwbl yn rhywbeth arall. Mae'r newid hwn yn un *parhaol* – ni allwch ei newid yn ôl.

Er enghraifft:

1) Pren a phapur yn *llosgi*'n lludw.

2) Cynhwysion yn cael eu *coginio*.

3) Planhigion ac anifeiliaid marw'n *pydru*'n hwmws.

4) Rhai metelau'n *cyrydu* (rhydu).

5) Clai yn cael ei *grasu*'n botyn.

Allwch chi ddim <u>cildroi</u> newidiadau cemegol

Mae rhai pethau'n *coginio* wrth gael eu gwresogi –

ac yn *newid yn llwyr*

Newid cemegol ydy coginio gan ei fod yn newid parhaol. Allwch chi ddim cael y cynhwysion yn ôl eto unwaith y maen nhw wedi'u coginio.

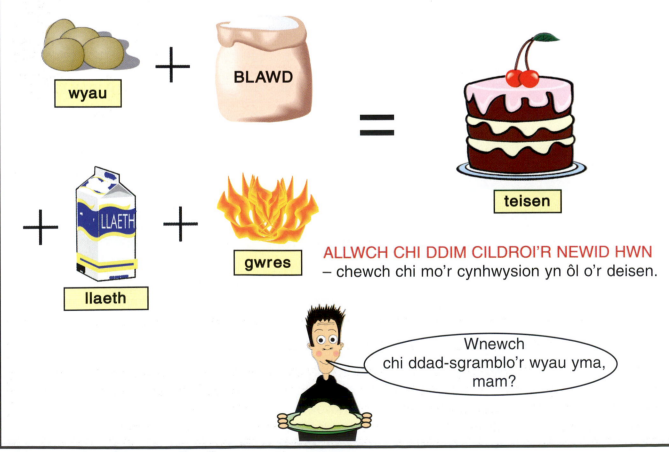

wyau

BLAWD

+

=

teisen

+ LLAETH +

gwres

llaeth

ALLWCH CHI DDIM CILDROI'R NEWID HWN
– chewch chi mo'r cynhwysion yn ôl o'r deisen.

Wnewch chi ddad-sgramblo'r wyau yma, mam?

Newidiadau Cemegol

Mae rhai pethau'n *llosgi* wrth gael eu *gwresogi*

Pan *losgir* defnyddiau, maen nhw'n *newid yn llwyr*.
Allwch chi *ddim cildroi* newidiadau a wnaed drwy *losgi*.

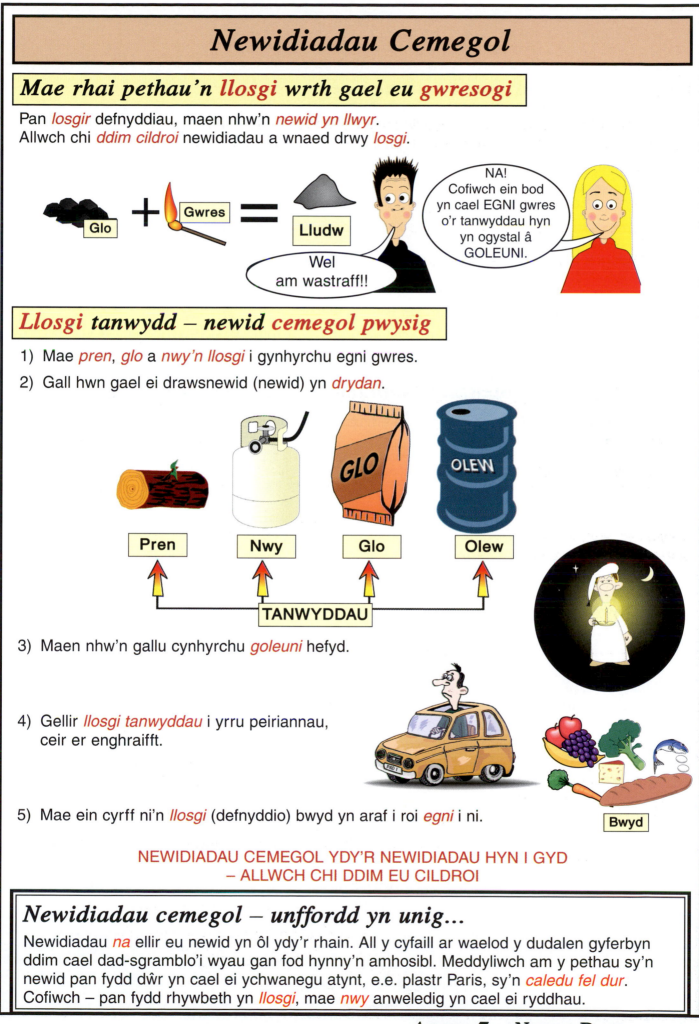

Llosgi tanwydd – newid *cemegol pwysig*

1) Mae *pren*, *glo* a *nwy'n llosgi* i gynhyrchu egni gwres.

2) Gall hwn gael ei drawsnewid (newid) yn *drydan*.

3) Maen nhw'n gallu cynhyrchu *goleuni* hefyd.

4) Gellir *llosgi tanwyddau* i yrru peiriannau, ceir er enghraifft.

5) Mae ein cyrff ni'n *llosgi* (defnyddio) bwyd yn araf i roi *egni* i ni.

NEWIDIADAU CEMEGOL YDY'R NEWIDIADAU HYN I GYD
– ALLWCH CHI DDIM EU CILDROI

Newidiadau cemegol – unffordd yn unig...

Newidiadau *na* ellir eu newid yn ôl ydy'r rhain. All y cyfaill ar waelod y dudalen gyferbyn ddim cael dad-sgramblo'i wyau gan fod hynny'n amhosibl. Meddyliwch am y pethau sy'n newid pan fydd dŵr yn cael ei ychwanegu atynt, e.e. plastr Paris, sy'n *caledu fel dur*. Cofiwch – pan fydd rhywbeth yn *llosgi*, mae *nwy* anweledig yn cael ei ryddhau.

Y Gylchred Ddŵr

Tymheredd – pa mor boeth neu oer

1) Mae *tymheredd* yn dangos pa mor *boeth* neu *oer* ydy rhywbeth.

2) Rydyn ni'n defnyddio *thermomedr* i fesur *tymheredd*.

3) Rydyn ni'n mesur *tymheredd* mewn *graddau Celsius* – °C.

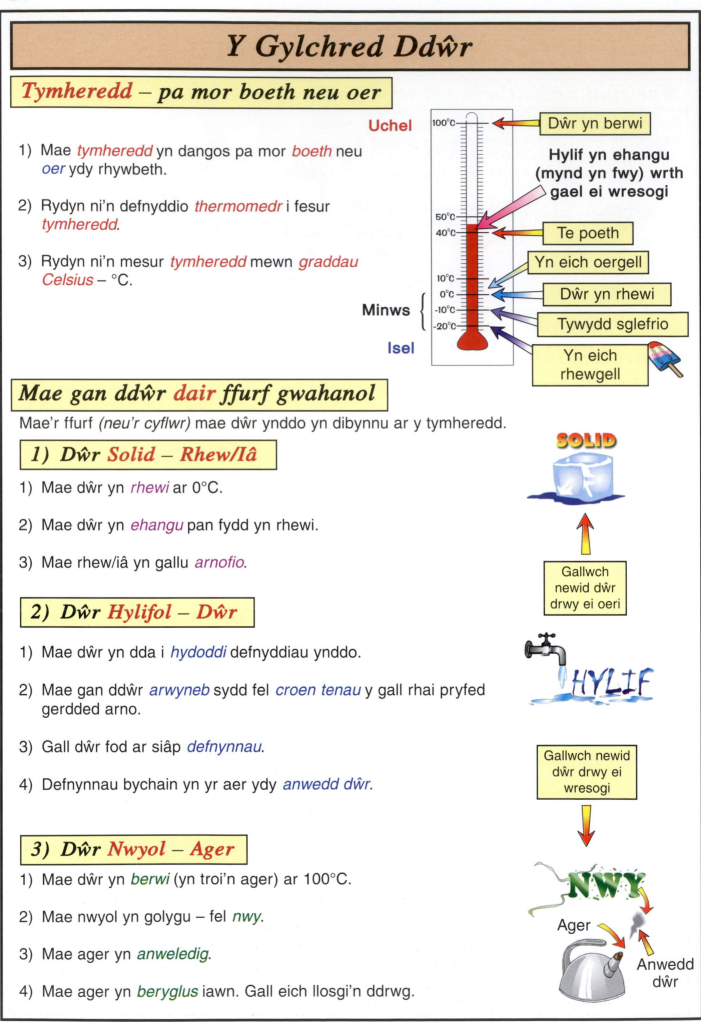

Uchel

100°C — Dŵr yn berwi

Hylif yn ehangu (mynd yn fwy) wrth gael ei wresogi

50°C
40°C — Te poeth

Yn eich oergell

10°C
0°C — Dŵr yn rhewi
-10°C — Tywydd sglefrio
-20°C

Minws

Yn eich rhewgell

Isel

Mae gan ddŵr dair ffurf gwahanol

Mae'r ffurf *(neu'r cyflwr)* mae dŵr ynddo yn dibynnu ar y tymheredd.

1) Dŵr Solid – Rhew/Iâ

1) Mae dŵr yn *rhewi* ar 0°C.

2) Mae dŵr yn *ehangu* pan fydd yn rhewi.

3) Mae rhew/iâ yn gallu *arnofio*.

SOLID

Gallwch newid dŵr drwy ei oeri

2) Dŵr Hylifol – Dŵr

1) Mae dŵr yn dda i *hydoddi* defnyddiau ynddo.

2) Mae gan ddŵr *arwyneb* sydd fel *croen tenau* y gall rhai pryfed gerdded arno.

3) Gall dŵr fod ar siâp *defnynnau*.

4) Defnynnau bychain yn yr aer ydy *anwedd dŵr*.

HYLIF

Gallwch newid dŵr drwy ei wresogi

3) Dŵr Nwyol – Ager

1) Mae dŵr yn *berwi* (yn troi'n ager) ar 100°C.

2) Mae nwyol yn golygu – fel *nwy*.

3) Mae ager yn *anweledig*.

4) Mae ager yn *beryglus* iawn. Gall eich llosgi'n ddrwg.

NWY

Ager

Anwedd dŵr

Y Gylchred Ddŵr

Anweddiad a chyddwysiad dŵr yn yr aer ydy hyn. Mae'n digwydd drwy'r amser.

Anweddiad – troi i fod yn nwy

1) Gall yr haul wresogi dŵr. Mae'r dŵr yn mynd i'r aer – nid yw'n diflannu. Mae'r dŵr yn *anweddu* yn nwy.

Pwll

2) Mae'r dŵr o ddillad gwlyb yn *anweddu* i'r aer.

MAE HYLIF YN ANWEDDU YN NWY PAN GAIFF EI WRESOGI

Cyddwysiad – troi nwy'n ôl yn hylif

Drych oer

Anwedd dŵr mewn aer poeth

Defnynnau dŵr

1) Mae anwedd dŵr yn yr aer yn *oeri* ac yn troi'n ddefnynnau dŵr.

2) Mae'r anwedd dŵr yn *cyddwyso*.

MAE NWY YN CYDDWYSO YN HYLIF PAN GAIFF EI OERI

Anweddiad a Chyddwysiad dŵr ar blaned y Ddaear

1) Mae'r dŵr yma ar y Ddaear yn ailgylchu'n gyson. Rhyfedd ond gwir…
2) Pan fydd y tymheredd yn gostwng yn isel, gall defnynnau glaw ddisgyn fel eira neu genllysg yn hytrach na glaw.

Anwedd dŵr ydy cymylau – defnynnau bychain o ddŵr yn 'hongian' yn yr aer

glaw

anweddiad

anweddiad

Wrth i'r anwedd dŵr godi, mae'n oeri a chyddwyso ac yn disgyn fel glaw.

Mae gwres o'r haul yn gwneud i'r dŵr o'r môr, y llynnoedd a'r afonydd anweddu a throi'n anwedd dŵr.

Cylchred Ddŵr – mae'n swnio fel olwyn ddŵr enfawr…

Cofiwch fod rhew, dŵr ac ager i gyd yn *ffurfiau* ar ddŵr. Rhaid i chi wybod y geiriau *anweddiad* a *cyddwysiad*. Cofiwch *nad ydy* dŵr yn diflannu pan fydd yn anweddu, ond yn hytrach yn troi'n nwy. Edrychwch yn ofalus ar y diagram o gylchred ddŵr ar waelod y dudalen a cheisiwch *ddilyn* y dŵr ar ei daith o amgylch y llun.

Adolygu Adran 7

Mae yna gryn dipyn o *eiriau hirion* y disgwylir i chi eu defnyddio a'u deall yn yr adran hon. Peidiwch â gadael iddyn nhw eich dychryn. Maen nhw i gyd yn cael eu *hegluro* yn eu tro ac mae *rhestr o eiriau* ar ddiwedd Adran 8 fydd yn ddefnyddiol i chi. Felly, dyma fwy o gwestiynau difyr i chi eu hateb. Does dim rhaid i chi eu hateb i gyd ar unwaith, ond peidiwch â gadael dim un allan. Nod y gêm ydy gwneud yn siŵr eich bod yn gallu *ateb* pob un ac yna byddwch yn gwybod eich bod yn *deall* popeth.

1) Beth sy'n digwydd i *siwgr* pan ydych yn ei roi mewn cwpaned o *de*?

2) Beth ydy *hydoddiant*?

3) Beth raid i chi ei wneud i hydoddiant *crynodedig* i'w *wanhau*?

4) Beth ddigwyddai pe byddech chi'n ychwanegu *olew* at *ddŵr*?

5) Eglurwch beth sy'n digwydd pan gymysgwch bridd a *dŵr*.

6) Gorffennwch y frawddeg:
   Pan ydych chi'n toddi siocled rydych chi'n newid solid yn _____.

7) Rhowch esiampl o unrhyw newid *na ellir* ei *gildroi*.

8) Beth sy'n digwydd i *hylif* os caiff ei *rewi*?

9) Gorffennwch: Mae _____ yn dweud wrthych pa mor *boeth* neu *oer* ydy rhywbeth.

10) Pa *offer* fyddech chi'n eu defnyddio i fesur *tymheredd*?

11) Ar ba dymheredd mae:
   a) dŵr yn *berwi*   b) dŵr yn *rhewi*?

12) Gwir neu Anwir: "Tymheredd cwpaned o de ydy tua –3°C".
   Eglurwch beth ydy ystyr yr arwydd "–" o flaen y "3" yn –3°C.

13) Pa *dair* ffurf wahanol sydd i *ddŵr*?

14) Pam mae top potel laeth yn cael ei wthio i ffwrdd pan fydd llaeth yn *rhewi* ar ddiwrnod oer?

15) Pam nad ydy pryfyn rhiain y dŵr yn *suddo*?

16) Beth ydy *anwedd dŵr*?

17) Pam mae *ager* mor beryglus?

18) Allwch chi egluro sut mae *pyllau* bach o ddŵr yn diflannu?

19) Rydw i am wahanu *grisialau halen* o hydoddiant o *halen* a *dŵr*.
   Sut alla i wneud hyn?

20) Gwir neu Anwir: Mae nwy'n *anweddu* yn hylif wrth *oeri*.
   Eglurwch eich ateb.

21) Mae'r dŵr ar blaned y Ddaear yn ailgylchu drwy'r amser.
   Eglurwch eich ateb.

22) Dewiswch y gosodiad *cywir*:
   a) Ni ellir cildroi newidiadau *ffisegol*.
   b) Ni ellir cildroi newidiadau *cemegol*.

23) Pa rai o'r rhain sy'n newidiadau *ffisegol*:
   dŵr yn rhewi;   glo'n llosgi;   hufen iâ'n ymdoddi;   metel yn rhydu?

24) Pa newid *cemegol* sy'n digwydd i blanhigion ac anifeiliaid marw?

25) Sawl math gwahanol *o danwydd* allwch chi feddwl amdanyn nhw?

26) Beth sydd rhaid ei wneud i danwyddau fel y gallan nhw gynhyrchu *egni* gwres a golau?

27) Enwch y *tanwydd* mae'r *corff* dynol yn ei "losgi".

ADRAN 7 – NEWID DEFNYDDIAU

Gwahanu Cymysgeddau o Ddefnyddiau

Mae gwahanu defnyddiau sydd wedi eu cymysgu yn gallu bod yn ddefnyddiol iawn. Yn y gegin, bydd cogyddion da yn gwahanu'r lympiau o'r blawd wrth bobi. Mae garddwyr da yn gwahanu'r cerrig a'r pridd yn eu gwelyau hadau ac mae cael dŵr pur yn bwysig iawn i'n cadw'n iach.

Gogru/Rhidyllu – gwahanu'r darnau mawr oddi wrth y darnau bach

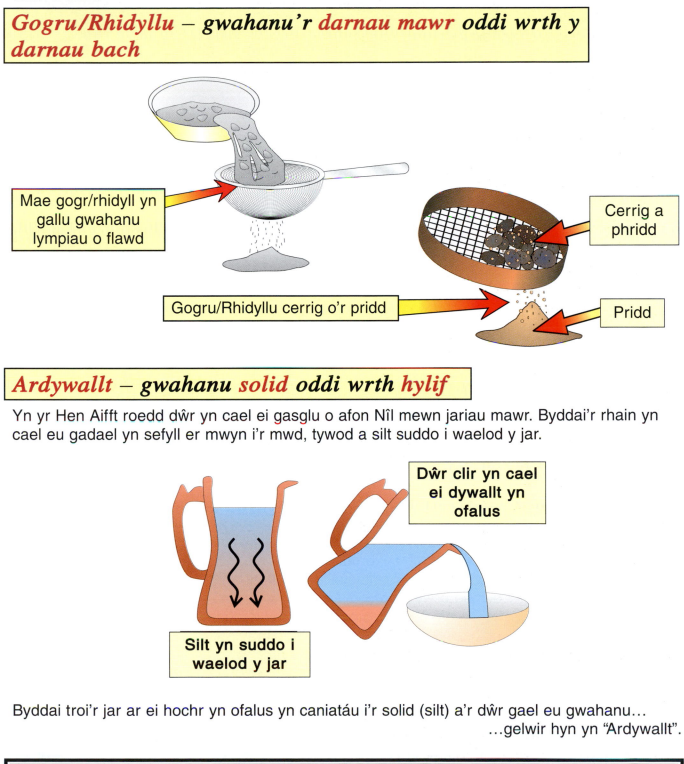

Mae gogr/rhidyll yn gallu gwahanu lympiau o flawd

Gogru/Rhidyllu cerrig o'r pridd

Cerrig a phridd

Pridd

Ardywallt – gwahanu solid oddi wrth hylif

Yn yr Hen Aifft roedd dŵr yn cael ei gasglu o afon Nîl mewn jariau mawr. Byddai'r rhain yn cael eu gadael yn sefyll er mwyn i'r mwd, tywod a silt suddo i waelod y jar.

Dŵr clir yn cael ei dywallt yn ofalus

Silt yn suddo i waelod y jar

Byddai troi'r jar ar ei hochr yn ofalus yn caniatáu i'r solid (silt) a'r dŵr gael eu gwahanu...

...gelwir hyn yn "Ardywallt".

Gogrwch drwy'r dudalen hon gan ddewis y darnau pwysig...

Mae'n siŵr eich bod wedi gwneud hyn yn y dosbarth. Mae gogru rhywbeth i wahanu'r darnau mawr oddi wrth y darnau bach yn *hawdd*, ond mae angen i chi wybod bod ardywallt yn gweithio am fod y mwd a'r tywod yn gwaelodi neu'n suddo i'r gwaelod.

Trefn o Anhrefn

Hidlo – gwahanu darnau solid oddi wrth hylif

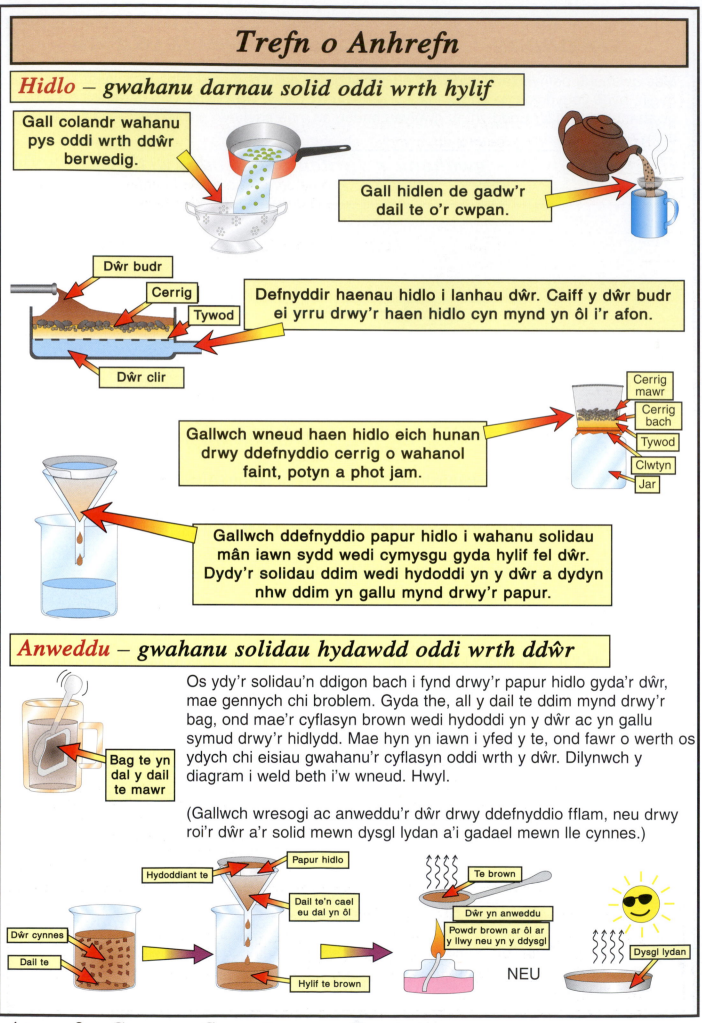

Gall colandr wahanu pys oddi wrth ddŵr berwedig.

Gall hidlen de gadw'r dail te o'r cwpan.

Dŵr budr

Cerrig

Tywod

Dŵr clir

Defnyddir haenau hidlo i lanhau dŵr. Caiff y dŵr budr ei yrru drwy'r haen hidlo cyn mynd yn ôl i'r afon.

Cerrig mawr
Cerrig bach
Tywod
Clwtyn
Jar

Gallwch wneud haen hidlo eich hunan drwy ddefnyddio cerrig o wahanol faint, potyn a phot jam.

Gallwch ddefnyddio papur hidlo i wahanu solidau mân iawn sydd wedi cymysgu gyda hylif fel dŵr. Dydy'r solidau ddim wedi hydoddi yn y dŵr a dydyn nhw ddim yn gallu mynd drwy'r papur.

Anweddu – gwahanu solidau hydawdd oddi wrth ddŵr

Bag te yn dal y dail te mawr

Os ydy'r solidau'n ddigon bach i fynd drwy'r papur hidlo gyda'r dŵr, mae gennych chi broblem. Gyda the, all y dail te ddim mynd drwy'r bag, ond mae'r cyflasyn brown wedi hydoddi yn y dŵr ac yn gallu symud drwy'r hidlydd. Mae hyn yn iawn i yfed y te, ond fawr o werth os ydych chi eisiau gwahanu'r cyflasyn oddi wrth y dŵr. Dilynwch y diagram i weld beth i'w wneud. Hwyl.

(Gallwch wresogi ac anweddu'r dŵr drwy ddefnyddio fflam, neu drwy roi'r dŵr a'r solid mewn dysgl lydan a'i gadael mewn lle cynnes.)

Hydoddiant te
Papur hidlo
Dail te'n cael eu dal yn ôl
Dŵr cynnes
Dail te
Hylif te brown
Te brown
Dŵr yn anweddu
Powdr brown ar ôl ar y llwy neu yn y ddysgl
NEU
Dysgl lydan

ADRAN 8 – GWAHANU CYMYSGEDDAU O DDEFNYDDIAU

Esiamplau o Wahanu Cymysgeddau

Gwahanu cymysgedd o *halen*, *tywod* a *dŵr*

Mae'r cymysgedd yn cynnwys *solid hydawdd* (halen), *solid anhydawdd* (tywod), a *dŵr*. I wahanu cymysgedd o wahanol ddefnyddiau o'r fath, rhaid i chi *hidlo* ac *anweddu*'r cymysgedd.

1) HIDLO   rhaid hidlo'r cymysgedd o halen, tywod a dŵr i dynnu'r *tywod* i ffwrdd. Yna, mae'r dŵr hallt yn mynd drwy'r hidlydd i'r bicer.

2) ANWEDDU   rhaid *cynhesu'r* cymysgedd o halen a dŵr i *anweddu*'r dŵr.

3) CYDDWYSO   rhaid *oeri*'r anwedd dŵr i'w droi'n ôl yn *hylif*.

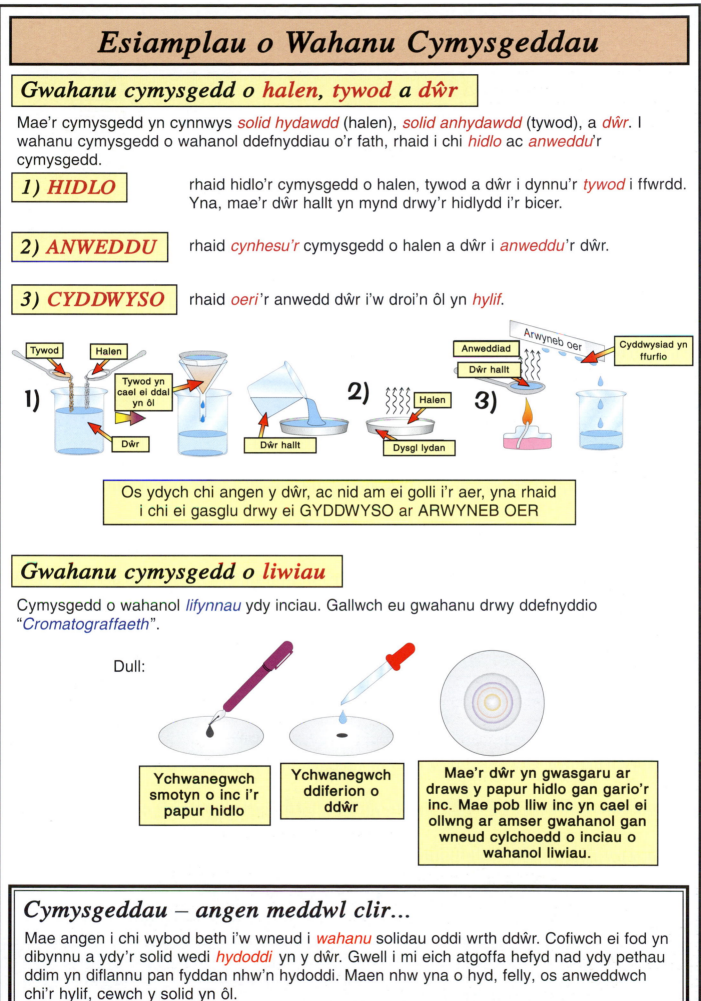

Os ydych chi angen y dŵr, ac nid am ei golli i'r aer, yna rhaid i chi ei gasglu drwy ei GYDDWYSO ar ARWYNEB OER

Gwahanu cymysgedd o *liwiau*

Cymysgedd o wahanol *lifynnau* ydy inciau. Gallwch eu gwahanu drwy ddefnyddio "*Cromatograffaeth*".

Dull:

Ychwanegwch smotyn o inc i'r papur hidlo

Ychwanegwch ddiferion o ddŵr

Mae'r dŵr yn gwasgaru ar draws y papur hidlo gan gario'r inc. Mae pob lliw inc yn cael ei ollwng ar amser gwahanol gan wneud cylchoedd o inciau o wahanol liwiau.

Cymysgeddau – angen meddwl clir...

Mae angen i chi wybod beth i'w wneud i *wahanu* solidau oddi wrth ddŵr. Cofiwch ei fod yn dibynnu a ydy'r solid wedi *hydoddi* yn y dŵr. Gwell i mi eich atgoffa hefyd nad ydy pethau ddim yn diflannu pan fyddan nhw'n hydoddi. Maen nhw yna o hyd, felly, os anweddwch chi'r hylif, cewch y solid yn ôl.

ADRAN 8 – GWAHANU CYMYSGEDDAU O DDEFNYDDIAU

Defnyddiau Hydawdd ac Anhydawdd

Hydawdd – yn hydoddi

1) Mae halen yn hydoddi'n llwyr mewn dŵr i wneud *hydoddiant*.

2) Mae halen yn *hydawdd* mewn dŵr.

3) Sylweddau *(defnyddiau)* hydawdd eraill ydy siwgr a choffi parod.

halen

dŵr hallt (hydoddiant)

dŵr

Anhydawdd – ddim yn hydoddi

1) Dydy pridd *ddim yn hydoddi* mewn dŵr. Bydd peth o'r pridd yn parhau ar y gwaelod *heb hydoddi*.

2) Bydd gweddill y gronynnau pridd yn arnofio yn y dŵr, ond fyddan nhw ddim yn hydoddi – mae pridd yn *anhydawdd* mewn dŵr.

3) Esiamplau eraill ydy sialc, clai, tywod, cwyr ac olew.

Darn o bren

Dydy hwn ddim yn gweithio!!

Pridd

Mae solidau'n hydoddi'n well mewn *dŵr poeth*

POWDR GOLCHI

Alla i ddim cael trochion, mam!!!

Rhaid i ti ychwanegu dŵr POETH!!

Mae *troi yn helpu* solidau i hydoddi

Mae hyn yn cymysgu'r *solid* a'r *hylif* yn well
– felly mae'n hydoddi'n gynt.

Troi

Mae yna *ben draw* ar faint sy'n gallu *hydoddi*

Pan ychwanegwch halen at ddŵr, mae yna bwynt yn dod pan *na allwch hydoddi* mwy.

ychwanegu halen

ymhen peth amser

dim mwy yn hydoddi

halen ar ôl yn y gwaelod heb hydoddi

Mae faint o solid allwch chi ei ychwanegu cyn i hyn ddigwydd yn wahanol ar gyfer gwahanol solidau.

Ceisiwch hydoddi hyn oll yn eich ymennydd...

Mae hyn i gyd yn ymwneud â beth sy'n hydoddi a beth sydd ddim yn hydoddi. Cofiwch *nad ydy pethau'n diflannu* pan fyddan nhw'n hydoddi. Rydw i'n dweud hyn eto, ond mae rhai'n dal i ysgrifennu eu bod nhw'n diflannu. Synnwyr cyffredin, yn siŵr, ydy'r pethau mae'n rhaid eu gwneud i helpu rhywbeth i hydoddi, efallai y bydd y diagramau gwych o'r dyn a'r bicer o help mawr i chi gofio. Dysgwch gan wenu.

Adolygu Adran 8

Mae gwyddonwyr wedi dod o hyd i'r ffyrdd gwych hyn i gyd o *wahanu* defnyddiau cymysg.
Biti na fydden nhw'n dod o hyd i ffordd o roi trefn ar anhrefn eich ystafell wely…
Cofiwch nad ydy papur hidlo ddim ond yn gallu gwahanu dŵr a solidau sydd *heb hydoddi*.
Mae solidau *sydd wedi hydoddi* yn llithro'n syth drwy'r papur hidlo.
Mae gwybod sut i ddal y dŵr sydd wedi anweddu i'r aer yn ddefnyddiol iawn – nid yn unig ar
gyfer arholiad. Efallai y gallai eich helpu'r tro nesaf y byddwch ar goll yn yr anialwch ac yn
sychedig… twt lol… dyna ddigon o falu awyr – i ffwrdd â ni at y gwaith.

1) Dyma rai darnau o *offer* gaiff eu defnyddio i wahanu defnyddiau.

| Magnet | Papur hidlo a thwndis | Gogr/Rhidyll | Llwy a llosgydd |

Dewiswch yr offer *gorau* i *wahanu*'r defnyddiau cymysg yn a) i ch).
Dim ond *unwaith* y gallwch chi ddewis *pob un* o'r offer.
   a) cerrig a dŵr
   b) hoelion a phowdr talc
   c) tywod a graean
   ch) siwgr a dŵr

2) Sut oedd yr Hen Eifftwyr yn *glanhau* eu dŵr yfed?
3) Ydy'r dull o wahanu a ddangosir yma yn bosibl? Eglurwch eich ateb.
4) Mewn haen hidlo, ydy'r cerrig mân *ar ben* neu *o dan* y tywod?
5) Pa siâp ydy papur hidlo?
6) I ba *siâp* y gwneir papur hidlo cyn ei roi yn y twndis?
7) *Sut* mae'r clwtyn yn y diagram yn gweithio fel papur hidlo?
8) *Eglurwch* sut mae bag te'n gweithio.
9) Pa *ddau* o'r solidau hyn sy'n *hydawdd mewn dŵr*?
          siwgr,   hoelion,   cerrig,   halen?
10) Beth ydy'r enw ar solidau sydd *ddim yn hydoddi* mewn dŵr?
11) Pam *na all* papur hidlo wahanu siwgr neu halen a gymysgwyd
     â dŵr?
12) Pe baech yn hydoddi tipyn o halen mewn dŵr, *sut* byddech chi'n *gwahanu'r* halen
     oddi wrth y dŵr?
13) Pe byddech yn *cymysgu* dipyn o ddail te gyda dŵr, yna'n *hidlo*'r cymysgedd, beth
     fyddai'n *llithro drwy'r* papur hidlo, a beth fyddai *ar ôl* ar y papur?
14) *Eglurwch* sut y byddech yn cael y lliw brown *allan* o jar o hydoddiant te.
15) Pan fydd dŵr yn *anweddu* i'r aer, sut gallwch chi *ddal* y dŵr a'i droi'n ôl yn hylif?
16) Mae *cyddwysiad* yn ffurfio pan fo aer llaith a chynnes
     yn cyffwrdd:
       a) arwyneb *oer*   NEU   b) arwyneb *cynnes*?
17) Beth yw'r enw am yr hyn sy'n digwydd yn y diagram,
     sef *gwahanu* llifynnau mewn inciau?

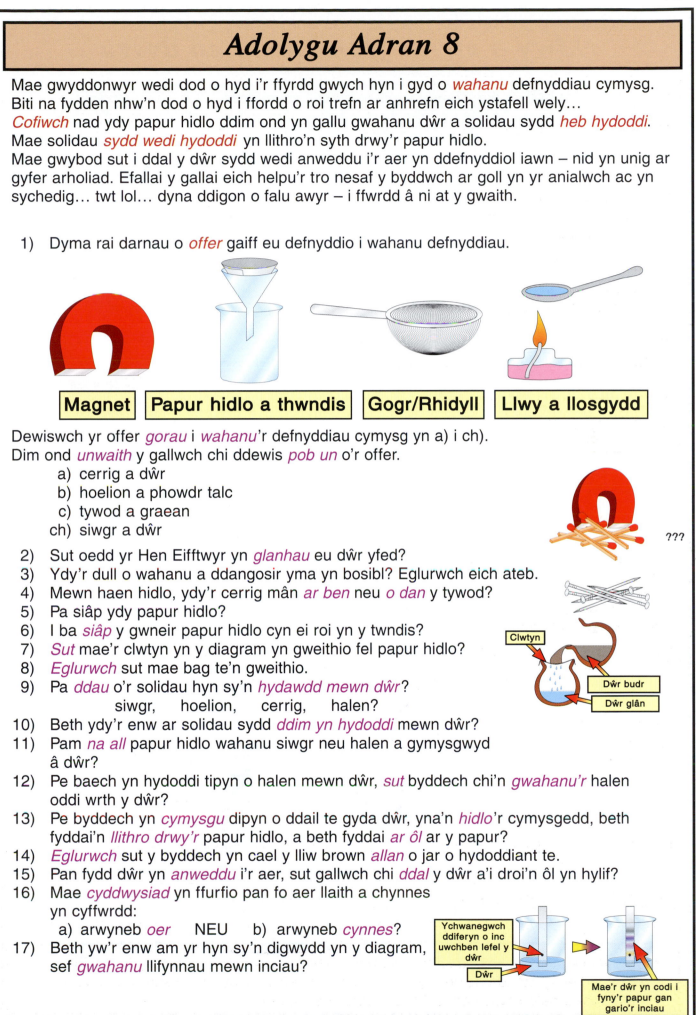

Clwtyn

Dŵr budr

Dŵr glân

Ychwanegwch ddiferyn o inc uwchben lefel y dŵr

Dŵr

Mae'r dŵr yn codi i fyny'r papur gan gario'r inciau

ADRAN 8 – GWAHANU CYMYSGEDDAU O DDEFNYDDIAU

Mwy o eiriau ffansi i chi eu dysgu

Rwy'n siŵr eich bod yn edrych ar y dudalen hon ac yn meddwl, "*Does bosib fod rhaid i mi ddysgu'r rhain.*" Rydw i'n ofni bod rhaid i chi, a does dim ond un peth i'w wneud …. sef, cuddio'r rhannau du ac *ysgrifennu* ystyron y *geiriau coch*. Gair o gysur, mae yna lai o eiriau nag oedd ar y rhestr ddiwethaf. Dysgwch gan fwynhau …

Aer cymysgedd o nwyon gan gynnwys ocsigen.

Anghildroadwy newid na ellir ei ddad-wneud.

Amodau disgrifiad o sut mae pethau e.e. oer, ysgafn, cynnes etc

Anathraidd ddim yn gadael dŵr drwyddo.

Anweddiad/anweddu hylif yn cynhesu ac yn troi'n nwy.

Ardywallt gadael i solidau waelodi a thywallt yr hylif yn ofalus.

Athraidd yn gadael dŵr drwyddo.

Berwbwynt y tymheredd pan fydd hylif yn troi'n nwy.

Carbon deuocsid nwy sydd yn yr aer.

Cildroadwy newid y gellir ei newid yn ôl.

Cyddwysiad/cyddwyso anwedd dŵr yn oeri ac yn troi'n hylif.

Cyflwr solid, hylif neu nwy – gall defnydd fod yn unrhyw un o'r cyflyrau hyn.

Cylchred ddŵr mae dŵr yn yr aer yn cyddwyso ac yn disgyn fel glaw, yna'n llifo i'r môr lle mae'r haul yn ei anweddu eto, ac yn y blaen……

Cymysgedd dau neu fwy o sylweddau a gymysgwyd gyda'i gilydd – ac y gellir eu gwahanu.

Dargludydd/dargludo yn gadael rhywbeth drwyddo, fel gwres neu drydan.

Dargludydd thermol rhywbeth sy'n gadael gwres drwyddo'n rhwydd.

Defnydd yr hyn y mae rhywbeth wedi ei wneud ohono – ddim yr un peth â ffabrig.

Ffabrig wedi ei wneud o ffibrau sydd wedi'u nyddu a'u gwehyddu.

Graddau Celsius °C dull o fesur tymheredd.

Gwanedu rhoi llawer o ddŵr mewn hydoddiant.

Heb hydoddi solid sydd ar ôl heb hydoddi.

Heliwm nwy ysgafn iawn a ddefnyddir mewn balwnau parti.

Hidlo gwahanu darnau o solidau oddi wrth hylif.

Hydoddi solid yn cymysgu gyda dŵr i greu hylif newydd.

Hydoddiant cymysgedd o solid a hylif – allwch chi ddim gweld y solid, ond mae yno.

Hylif cyflwr y gall defnydd fod ynddo – yn llifo ac yn cymryd siâp ei gynhwysydd.

Magnetig defnydd sy'n cael ei atynnu at fagnet.

Newid cemegol newid na ellir ei ddad-wneud.

Newid cyflwr newid o solid i hylif, er enghraifft.

Nwy un o dri chyflwr y gall defnydd fod ynddo – ysgafn ac yn gwasgaru i bobman.

Nwy naturiol nwy sydd i'w gael dan wyneb y ddaear ac a ddefnyddir fel tanwydd.

Ocsigen nwy yn yr aer mae ar y corff ei angen i gadw'n fyw.

Priodwedd ansawdd defnydd, e.e. caled, sgleiniog, yn dargludo trydan etc.

Pur heb ei gymysgu â dim arall.

Rhewi pan fydd rhai hylifau'n oeri ac yn troi'n solid.

Solid cyflwr y gall defnydd fod ynddo – yn cadw ei siâp a gallwch gydio ynddo.

Tymheredd pa mor boeth neu oer yw rhywbeth. Fe'i mesurir mewn graddau Celsius °C.

Tymheredd ystafell y tymheredd tu fewn i'r cartref, 20°C fel arfer.

Thermomedr offer a ddefnyddir i fesur tymheredd.

Ymdoddi solid yn cynhesu a throi'n hylif.

Ymsolido rhywbeth yn troi yn solid.

Ynysydd/ynysu ddim yn gadael gwres na thrydan drwyddo.

Ynysydd thermol rhywbeth sydd ddim yn gadael gwres drwyddo'n rhwydd.

Trydan

Switsiwch ymlaen i hyn – mae'n adran bwerus.

1) Rydyn ni'n cael trydan o'r prif gyflenwad neu o fatrïau.

1) Mae llawer o offer yn ein cartrefi sy'n defnyddio trydan i weithio. Heb drydan byddai ein bywydau yn *dywyllach*, yn fwy *diflas* ac yn *oerach*.

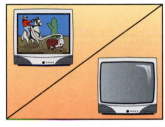 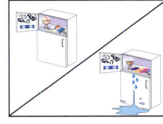 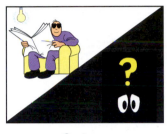 

Teledu/Cyfrifiadur   Oergell/Rhewgell   Golau   Gwresogydd

2) Mae offer trydan bach yn aml yn defnyddio *batrïau* sy'n storio trydan. Gellir *symud* yr offer hyn o le i le. Mae batrïau ymhen amser *yn colli pŵer* a bydd angen *cael rhai newydd* neu eu *hailwefru*.

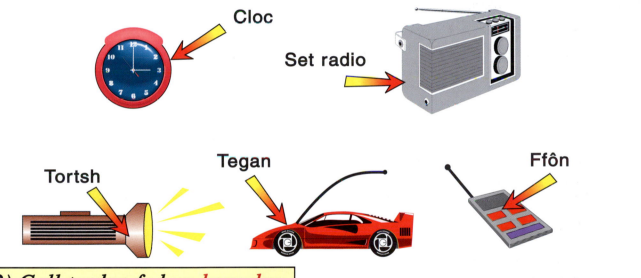

Cloc

Set radio

Tortsh   Tegan   Ffôn

2) Gall trydan fod yn beryglus

1) Gall sioc drydan o soced prif gyflenwad trydan *eich lladd*. Mae trydan o'r prif gyflenwad yn llawer cryfach na thrydan o fatri.

PEIDIWCH BYTH â gwthio sisyrnau, pinnau ysgrifennu, bysedd nag unrhyw beth arall i soced prif gyflenwad trydan.
PEIDIWCH BYTH â chyffwrdd switshis gyda dwylo gwlyb.
PEIDIWCH BYTH â defnyddio offer trydan wrth ymyl dŵr.
Gafaelwch yn rhan blastig plwg *BOB AMSER* wrth gysylltu neu ddatgysylltu offer trydan.

PERYGL

FOLTEDD UCHEL

2) Mae batrïau y gellir eu hailwefru hefyd yn gallu dadwefru'n sydyn ac achosi llosgiadau.

Rheolau diogelwch – mater o fywyd...

Cofiwch fod raid i chi fod yn ofalus iawn wrth ddefnyddio trydan – nid yno am hwyl mae'r rheolau, maen nhw'n rhan o fywyd bob dydd. Rhaid i chi wybod y gwahaniaeth rhwng trydan o'r *prif gyflenwad* a thrydan o *fatrïau*.

Cylchedau Trydanol

1) Dim ond pan fo cylched gyflawn y gall trydan lifo

1) Mae trydan yn llifo o *ffynhonnell pŵer*, fel batri, o gwmpas cyfres o *ddargludyddion* (cylched) ac *yn ôl* i'r ffynhonnell pŵer.

2) Os oes bwlch yn y gylched – fydd trydan *ddim* yn llifo.

Bwlch

2) Gellir adeiladu cylchedau syml drwy ddefnyddio cydrannau

Pethau sy'n rhan o gylched yw *cydrannau*. Mewn cyched drydanol, mae angen –

1) *Batri* neu fatrïau, a gwifrau wedi eu cysylltu i'r pennau positif (+) a negatif (−).

2) Gwifrau wedi eu gwneud o *fetel* (wrth gwrs).

3) *Cydran* drydanol – bwlb, swnyn neu fodur trydan.

3) Rhaid i'r batrïau a'r cydrannau gael eu gosod yn gywir

Rhaid i'r batrïau a'r cydrannau gael eu gosod wrth ei gilydd yn gywir cyn y bydd y gylched yn gweithio.

Ni fydd cylched A *yn gweithio* oherwydd fod y wifren wedi ei chysylltu i'r gwydr yn y bwlb, sy'n ynysydd. ☹

A

Ni fydd cylched B *yn gweithio* oherwydd fod y ddwy wifren wedi eu cysylltu i'r un pen o'r batri. ☹

B

Ni fydd cylched C *yn gweithio* oherwydd fod bwlch yn y gylched. ☹

C

HWRE!! Mae cylched Ch *yn gweithio* ☺ (os nad yw'r batri'n fflat).

Ch

Cylchedau Trydanol

4) Mae diagramau cylched yn defnyddio *symbolau* yn lle *lluniau*

Gwnewch yn siŵr eich bod yn gwybod y symbolau hyn, a defnyddiwch nhw pan fyddwch yn llunio diagramau cylched.

LLUNIWCH DDIAGRAMAU CYLCHED YN GYWIR

—

Ddylech chi ddim cael bylchau rhwng y gwifrau a'r cydrannau.

Cydran	Llun	Symbol
Batri		
Dau fatri		
Bwlb		neu
Swnyn		
Modur		M
Switsh - ar agor		
Switsh - ar gau		

Diagram cylched yn dangos batrti, gwifrau, tri switsh, bwlb a swnyn.

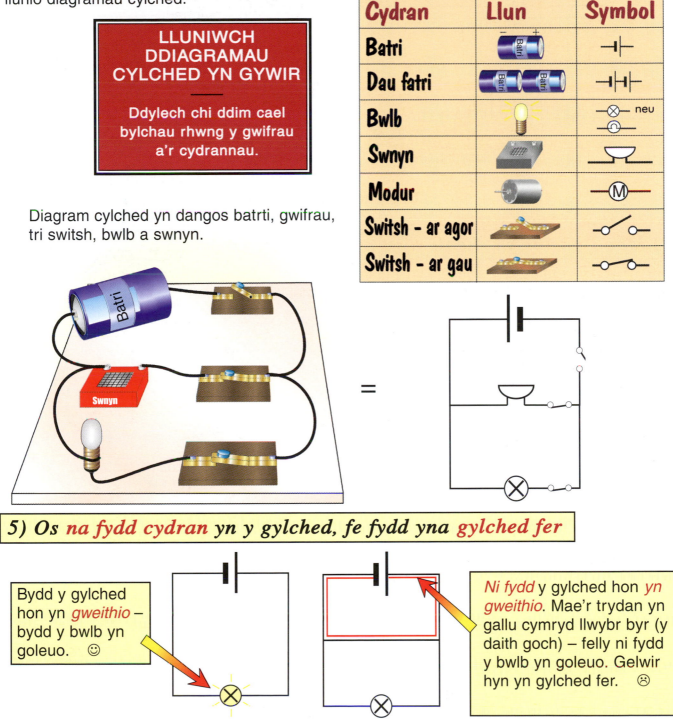

=

5) Os *na fydd cydran* yn y gylched, fe fydd yna *gylched fer*

Bydd y gylched hon yn *gweithio* – bydd y bwlb yn goleuo. ☺

Ni fydd y gylched hon *yn gweithio*. Mae'r trydan yn gallu cymryd llwybr byr (y daith goch) – felly ni fydd y bwlb yn goleuo. Gelwir hyn yn gylched fer. ☹

Defnyddiwch symbolau mewn cylchedau...

Mae'r gwaith hwn ar drydan yn edrych braidd yn gymhleth, ond os meddyliwch yn ôl i'r *ymchwiliadau* a wnaethoch gan gofio'r *ffeithiau sylfaenol*, fe ddylech ddod drwyddi. Rhaid i drydan deithio o un pen i'r batri yn ôl i ben arall y batri er mwyn i'r gylched weithio. Cofiwch, wnaiff trydan *ddim* llifo os oes *bwlch* yn y gylched. Mae diagramau cylched yn defnyddio symbolau fel math o law fer, ac oes, *mae'n rhaid* i chi *ddysgu*'r symbolau i gyd.

Newid Cylchedau

Rydych chi'n gwybod sut i gael bwlb i oleuo – yn awr dyma fwy o bethau i'w gwneud i reoli ble mae'r trydan yn mynd a ble dydy e ddim yn mynd.

1) Mae *switshis* yn rheoli llif trydan mewn cylched

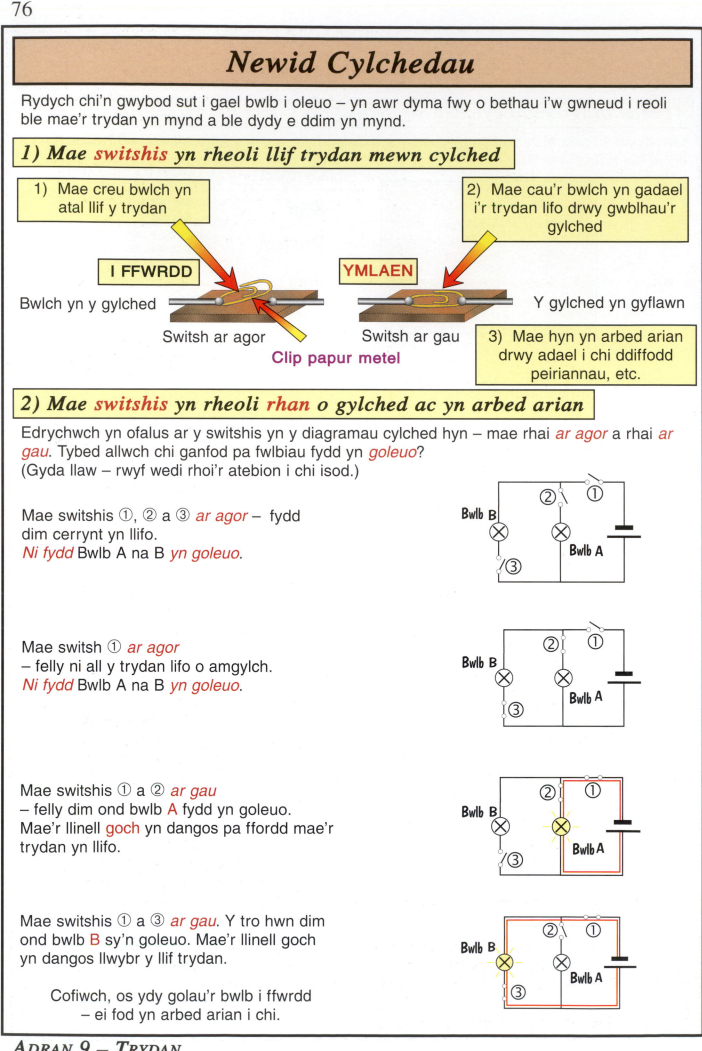

1) Mae creu bwlch yn atal llif y trydan

2) Mae cau'r bwlch yn gadael i'r trydan lifo drwy gwblhau'r gylched

I FFWRDD

Bwlch yn y gylched

Switsh ar agor

Clip papur metel

YMLAEN

Y gylched yn gyflawn

Switsh ar gau

3) Mae hyn yn arbed arian drwy adael i chi ddiffodd peiriannau, etc.

2) Mae *switshis* yn rheoli *rhan* o gylched ac yn arbed arian

Edrychwch yn ofalus ar y switshis yn y diagramau cylched hyn – mae rhai *ar agor* a rhai *ar gau*. Tybed allwch chi ganfod pa fwlbiau fydd yn *goleuo*?
(Gyda llaw – rwyf wedi rhoi'r atebion i chi isod.)

Mae switshis ①, ② a ③ *ar agor* – fydd dim cerrynt yn llifo.
Ni fydd Bwlb A na B *yn goleuo*.

Bwlb B — ② — ① — Bwlb A — ③

Mae switsh ① *ar agor*
– felly ni all y trydan lifo o amgylch.
Ni fydd Bwlb A na B *yn goleuo*.

Bwlb B — ② — ① — Bwlb A — ③

Mae switshis ① a ② *ar gau*
– felly dim ond bwlb A fydd yn goleuo.
Mae'r llinell goch yn dangos pa ffordd mae'r trydan yn llifo.

Bwlb B — ② — ① — Bwlb A — ③

Mae switshis ① a ③ *ar gau*. Y tro hwn dim ond bwlb B sy'n goleuo. Mae'r llinell goch yn dangos llwybr y llif trydan.

Bwlb B — ② — ① — Bwlb A — ③

Cofiwch, os ydy golau'r bwlb i ffwrdd – ei fod yn arbed arian i chi.

Newid Cylchedau

Mae'n awr yn amser edrych ar gylchedau sydd ychydig yn fwy cymhleth. *(peidiwch â phoeni)*

3) *Newid cylchedau syml*

Gan ddechrau gyda chylched syml – yn defnyddio batri, switsh, bwlb a gwifren, gallwch newid nifer y batrïau, hyd y wifren a nifer y bylbiau (ond newidiwch un peth ar y tro bob amser).

Ychwanegu mwy o fatrïau (mewn llinell) – bydd y bwlb yn fwy llachar

Gelwir "*MEWN LLINELL*" yn "*MEWN CYFRES*"

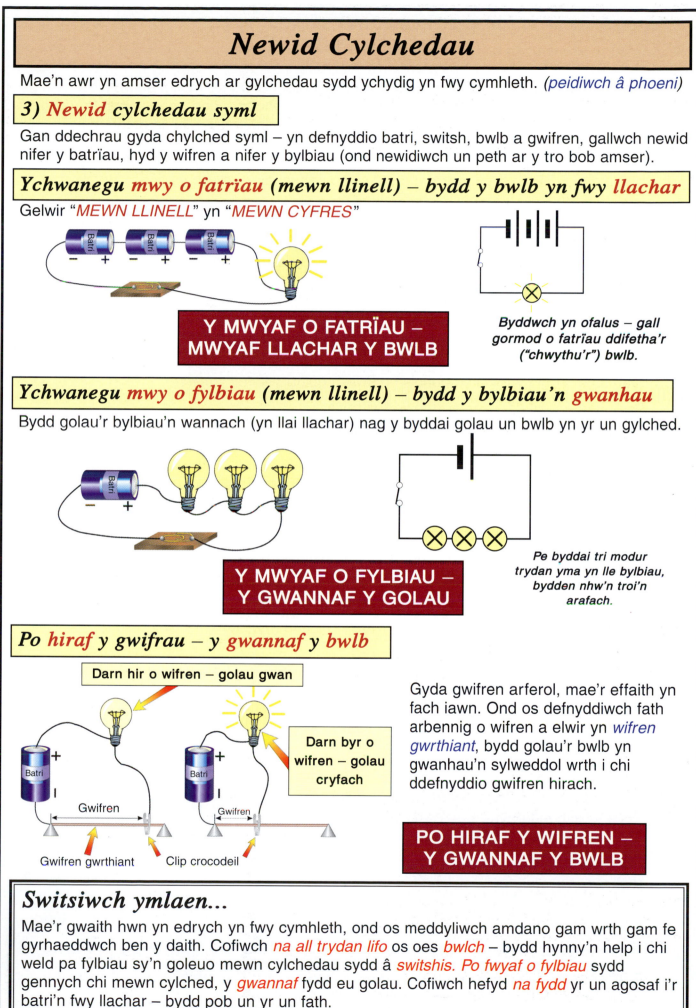

Y MWYAF O FATRÏAU – MWYAF LLACHAR Y BWLB

Byddwch yn ofalus – gall gormod o fatrïau ddifetha'r ("chwythu'r") bwlb.

Ychwanegu mwy o fylbiau (mewn llinell) – bydd y bylbiau'n gwanhau

Bydd golau'r bylbiau'n wannach (yn llai llachar) nag y byddai golau un bwlb yn yr un gylched.

Y MWYAF O FYLBIAU – Y GWANNAF Y GOLAU

Pe byddai tri modur trydan yma yn lle bylbiau, bydden nhw'n troi'n arafach.

Po hiraf y gwifrau – y gwannaf y bwlb

Darn hir o wifren – golau gwan

Darn byr o wifren – golau cryfach

Gyda gwifren arferol, mae'r effaith yn fach iawn. Ond os defnyddiwch fath arbennig o wifren a elwir yn *wifren gwrthiant*, bydd golau'r bwlb yn gwanhau'n sylweddol wrth i chi ddefnyddio gwifren hirach.

Gwifren gwrthiant   Clip crocodeil

PO HIRAF Y WIFREN – Y GWANNAF Y BWLB

Switsiwch ymlaen...

Mae'r gwaith hwn yn edrych yn fwy cymhleth, ond os meddyliwch amdano gam wrth gam fe gyrhaeddwch ben y daith. Cofiwch *na all trydan lifo* os oes *bwlch* – bydd hynny'n help i chi weld pa fylbiau sy'n goleuo mewn cylchedau sydd â *switshis. Po fwyaf o fylbiau* sydd gennych chi mewn cylched, y *gwannaf* fydd eu golau. Cofiwch hefyd *na fydd* yr un agosaf i'r batri'n fwy llachar – bydd pob un yr un fath.

Adolygu Adran 9

Gall trydan ymddangos yn destun anodd ond nid yw mor ddrwg ag mae'n edrych. Y diagramau cylched sy'n gwneud i'r pwnc ymddangos yn anodd – ond *cofiwch* mai ffordd *haws* o wneud *lluniau* o gylched go iawn ydy diagramau. Ceisiwch ymarfer llunio diagramau cylched yn cynnwys *switshis*, *batrïau* a *chydrannau* gwahanol.

Cofiwch mai'r syniad ydy i ddal ati i frwydro drwy'r cwestiynau nes eu cael *i gyd* yn gywir. Os ydy un neu ddau'n edrych yn anodd, peidiwch â'u gadael allan, ewch yn ôl ac edrych ar yr adran eto gan ddal ati i frwydro. A chofiwch wenu…..

1) Enwch *bedwar* peth yn eich tŷ chi na fyddai'n gweithio heb drydan.

2) Pam ei bod yn well i rai mathau o offer weithio gyda *batrïau*?

3) Pam *na ddylech* chi wthio pethau (ar wahân i blygiau) i mewn i soced prif gyflenwad trydan?

4) *Pam na ddylech chi gyffwrdd* switsh neu blwg prif gyflenwad trydan â dwylo *gwlyb*?

5) Pam mae cortyn yn aml yn hongian o switsh golau *ystafell ymolchi*?

6) Pam mae angen cael *metel* tu fewn i wifren?

7) Pam mae *haen o blastig* yn aml o amgylch gwifren fetel?

8) Pam mae pobl yn aml yn gwisgo menig ac esgidiau *rwber* wrth ddefnyddio offer gardd sy'n gweithio â thrydan?

9) Beth sy'n digwydd pan fydd toriad (neu fwlch) mewn cylched?

10) Ddylech chi gysylltu *dau* ben batri i gylched?

11) Enwch dair cydran drydanol a ddefnyddir mewn cylchedau syml.

12) Dychmygwch eich bod wedi creu cylched syml yn defnyddio batri, dwy wifren a bwlb. Dydy'r bwlb ddim yn goleuo. Rhowch *dri* rheswm i egluro beth allai fod o'i le.

13) Beth fydd yn digwydd os ceisiwch chi greu cylched drwy gysylltu gwydr y bwlb i'r batri? Eglurwch hyn.

14) Lluniwch *ddiagram cylched* yn dangos cylched yn cynnwys:
    batri, gwifrau, switsh agored a bwlb.

15) Lluniwch *ddiagram cylched* yn dangos cylched yn cynnwys:
    dau fatri, gwifrau, switsh agored a swnyn.

16) Pryd cewch chi *gylched fer*?

17) Sut mae *switsh* syml yn gweithio?

18) Ydy'r switsh gyferbyn:
    a) ar agor   neu   b) ar gau?

19) Lluniwch ddiagram cylched yn dangos sut y gallwch defnyddio *switshis* i reoli dwy ran wahanol o gylched.

20) Os rhowch chi fatri *ychwanegol* mewn cylched sy'n cynnwys bwlb, *sut* mae hyn effeithio ar y bwlb?

21) Beth allai ddigwydd i'r bwlb pe byddech chi'n ychwanegu *gormod* o fatrïau i'r gylched?

22) Sut byddech chi'n gwneud i fwlb mewn cylched oleuo'n *wannach*? Awgrymwch *ddwy* ffordd o wneud hyn.

Grymoedd

1) *Gwthio* neu *dynnu* mae grymoedd

Os bydd grym arnynt, mae pethau'n gallu:

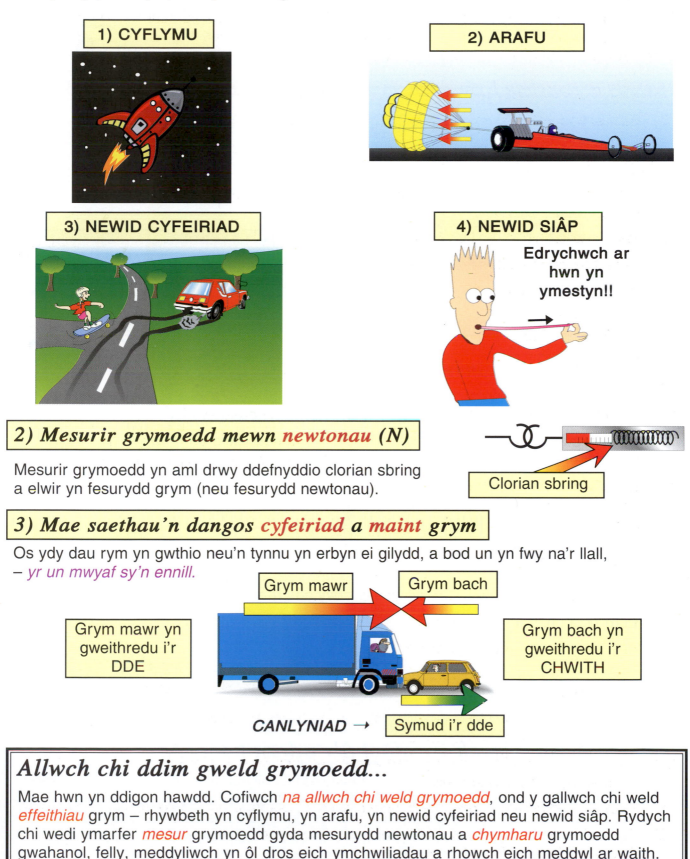

1) CYFLYMU

2) ARAFU

3) NEWID CYFEIRIAD

4) NEWID SIÂP

Edrychwch ar hwn yn ymestyn!!

2) *Mesurir grymoedd mewn* newtonau *(N)*

Mesurir grymoedd yn aml drwy ddefnyddio clorian sbring a elwir yn fesurydd grym (neu fesurydd newtonau).

Clorian sbring

3) *Mae saethau'n dangos* cyfeiriad *a* maint *grym*

Os ydy dau rym yn gwthio neu'n tynnu yn erbyn ei gilydd, a bod un yn fwy na'r llall,
– *yr un mwyaf sy'n ennill.*

Grym mawr

Grym bach

Grym mawr yn gweithredu i'r DDE

Grym bach yn gweithredu i'r CHWITH

CANLYNIAD →

Symud i'r dde

Allwch chi ddim gweld grymoedd...

Mae hwn yn ddigon hawdd. Cofiwch *na allwch chi weld grymoedd*, ond y gallwch chi weld *effeithiau* grym – rhywbeth yn cyflymu, yn arafu, yn newid cyfeiriad neu newid siâp. Rydych chi wedi ymarfer *mesur* grymoedd gyda mesurydd newtonau a *chymharu* grymoedd gwahanol, felly, meddyliwch yn ôl dros eich ymchwiliadau a rhowch eich meddwl ar waith.

Grym Ffrithiant a Gwrthiant Aer

Mae *ffrithiant* yn digwydd pan fydd dau arwyneb yn *cyffwrdd* â'i gilydd

1) Mae arwynebau garw yn *arafu* pethau gryn dipyn

Mae ffyrdd yn arw i'ch helpu i arafu'n sydyn.

Sgreeeeech

2) Dydy arwynebau llyfn *ddim* yn arafu cymaint arnoch chi

Weithiau mae angen cyn lleied o afael â phosibl.

Wiiiiiiii.........

3) Mae ffrithiant yn rhoi *gafael* i ni

Heb afael, byddai cychwyn a stopio yn anodd. Dyna pam mae gwadnau eich esgidiau ymarfer mor batrymog.

4) Mae ffrithiant yn cynhyrchu *gwres*

Dyna pam mae eich dwylo'n cynhesu pan rwbiwch nhw gyda'i gilydd.

Mae *gwrthiant aer* yn arafu *gwrthrychau sy'n symud*

1) Mae aer yn eich arafu wrth i chi symud drwyddo – mae bron fel ceisio symud drwy *ddŵr dwfn*.

Heb ei lilinio

Gwrthiant aer

Disgyrchiant

Arafu

2) I deithio'n gyflymach drwy aer, rhaid i bethau fod wedi eu *lilinio*.

3) I deithio'n arafach drwy aer, mae angen arwyneb sydd ag *arwynebedd* mawr *(fel parasiwt)*.

Wedi'i lilinio

Cyflymu

Ymlaen â chi – ewch i'r afael â'r adran hon...

Mae *ffrithiant* yn digwydd pan fydd pethau'n cyffwrdd â'i gilydd ac mae *gwrthiant aer* yn eich arafu pan fyddwch yn symud. Meddyliwch mor hawdd, neu mor anodd, ydy *llithro* ar wahanol arwynebau. Cofiwch y gall ffrithiant fod yn ddefnyddiol iawn er ei fod yn arafu pethau. Heb ffrithiant, byddai popeth yn llithro o'ch dwylo. Cofiwch, po *fwyaf* yr *arwynebedd* sydd gennych chi, y *mwyaf* o wrthiant aer a deimlwch.

Grym Disgyrchiant

Rydych chi wedi dysgu am ddau rym cynhyrfus ac enwau ffansi iddyn nhw ar y dudalen ddiwethaf – dyma un arall i chi ei ddysgu – disgyrchiant.

Mae disgyrchiant yn tynnu gwrthrychau i lawr i gyfeiriad canol y Ddaear

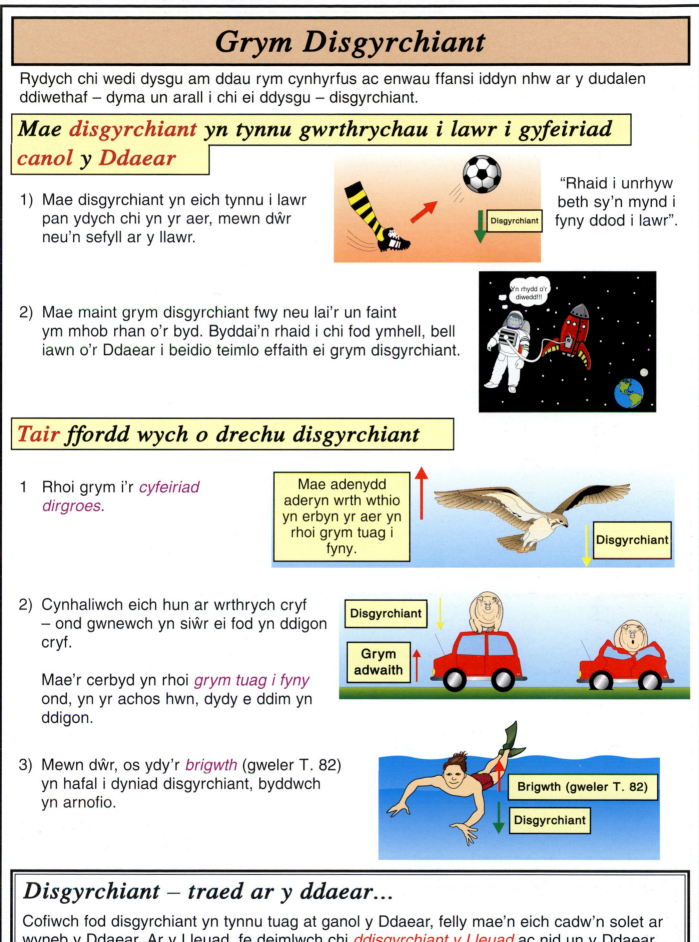

1) Mae disgyrchiant yn eich tynnu i lawr pan ydych chi yn yr aer, mewn dŵr neu'n sefyll ar y llawr.

"Rhaid i unrhyw beth sy'n mynd i fyny ddod i lawr".

2) Mae maint grym disgyrchiant fwy neu lai'r un faint ym mhob rhan o'r byd. Byddai'n rhaid i chi fod ymhell, bell iawn o'r Ddaear i beidio teimlo effaith ei grym disgyrchiant.

Yn rhydd o'r diwedd!!!

Tair ffordd wych o drechu disgyrchiant

1 Rhoi grym i'r *cyfeiriad dirgroes*.

Mae adenydd aderyn wrth wthio yn erbyn yr aer yn rhoi grym tuag i fyny.

Disgyrchiant

2) Cynhaliwch eich hun ar wrthrych cryf – ond gwnewch yn siŵr ei fod yn ddigon cryf.

Mae'r cerbyd yn rhoi *grym tuag i fyny* ond, yn yr achos hwn, dydy e ddim yn ddigon.

Disgyrchiant

Grym adwaith

3) Mewn dŵr, os ydy'r *brigwth* (gweler T. 82) yn hafal i dyniad disgyrchiant, byddwch yn arnofio.

Brigwth (gweler T. 82)

Disgyrchiant

Disgyrchiant – traed ar y ddaear...

Cofiwch fod disgyrchiant yn tynnu tuag at ganol y Ddaear, felly mae'n eich cadw'n solet ar wyneb y Ddaear. Ar y Lleuad, fe deimlwch chi *ddisgyrchiant y Lleuad* ac nid un y Ddaear. Mae'r Lleuad yn *llai* na'r Ddaear, felly mae'r grym disgyrchiant yn llai ac ni chewch chi eich tynnu gymaint. Mae gwaelod y dudalen i gyd yn sôn am *gydbwyso* grym disgyrchiant fel na fyddwch yn disgyn o hyd. Mae mwy am gydbwyso grymoedd yn dilyn...

Brigwth

Brigwth ydy'r *grym sy'n gwthio i fyny* ar wrthrych mewn *dŵr* (neu *aer*)

Mae'n siŵr eich bod chi wedi sylwi fod pethau'n pwyso llai mewn dŵr. Digwydd hyn am fod y dŵr yn *gwthio tuag i fyny* ac yn *canslo* peth o'r grym *disgyrchiant* sy'n tynnu tuag i lawr.

1) Mae brigwth yn llawer *cryfach* mewn *dŵr* nag yn yr *aer*.

2) Mae *maint* y brigwth yn y dŵr yn dibynnu *faint o ddŵr* sydd wedi cael ei wthio o'r neilltu gan y gwrthrych. Mae gwrthrych mawr yn gwthio llawer o ddŵr o'r neilltu ac mae'r brigwth yn fawr.

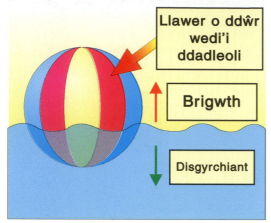

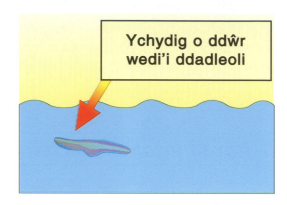

Mae disgyrchiant yn *hafal* i'r brigwth, felly mae'r bêl yn arnofio. Mae'r grymoedd yn *gytbwys*, felly does dim symudiad.

Mae'r bêl – heb wynt ynddi – yn suddo gan fod y *brigwth* yn awr yn *llai*, ac yn *llai* na disgyrchiant.

Dysgwch hyn

☞ **Pan fydd y brigwth yn hafal i'r grym *DISGYRCHIANT*, mae gwrthrych yn *ARNOFIO* oherwydd fod y ddau rym yn *GYTBWYS***

BYDDWCH OFALUS!

Peidiwch â syrthio i'r trap o feddwl y bydd gwrthrych yn arnofio'n *well* os yw'n wrthrych *mawr*. Wedi'r cwbl – beth fyddai orau gennych chi ar eich troed, bwcedaid o *goncrit* neu fwcedaid o *bolystyren* (dim gwobr am ddweud polystyren).

Dywedwn fod y *concrit* yn fwy *dwys* – mae'n llawer *trymach* o ran ei faint. Gan ei fod yn llawer trymach, mae'r grym disgyrchiant sy'n ei dynnu i lawr hefyd yn llawer mwy. Dyna pam mae'r concrit yn *suddo* a'r polystyren yn *arnofio* – er fod y ddau fwced yr un faint.

Wnaiff disgyrchiant ddim eich gadael i lawr...

Mae hyn yn *bwysig* iawn – dydy pethau ddim yn aros yn eu lle am fod disgyrchiant wedi mynd yn llai ond oherwydd fod *grym arall* yn gweithio i'r cyfeiriad dirgroes. Peidiwch, da chi, ag ysgrifennu pethau fel "mae'n arnofio am nad ydy disgyrchiant yn gallu mynd drwy ddŵr", chwaith, achos mae'n *hollol anghywir*.

Grymoedd Cytbwys

Os ydy grymoedd yn gytbwys, dydy pethau ddim yn dechrau symud

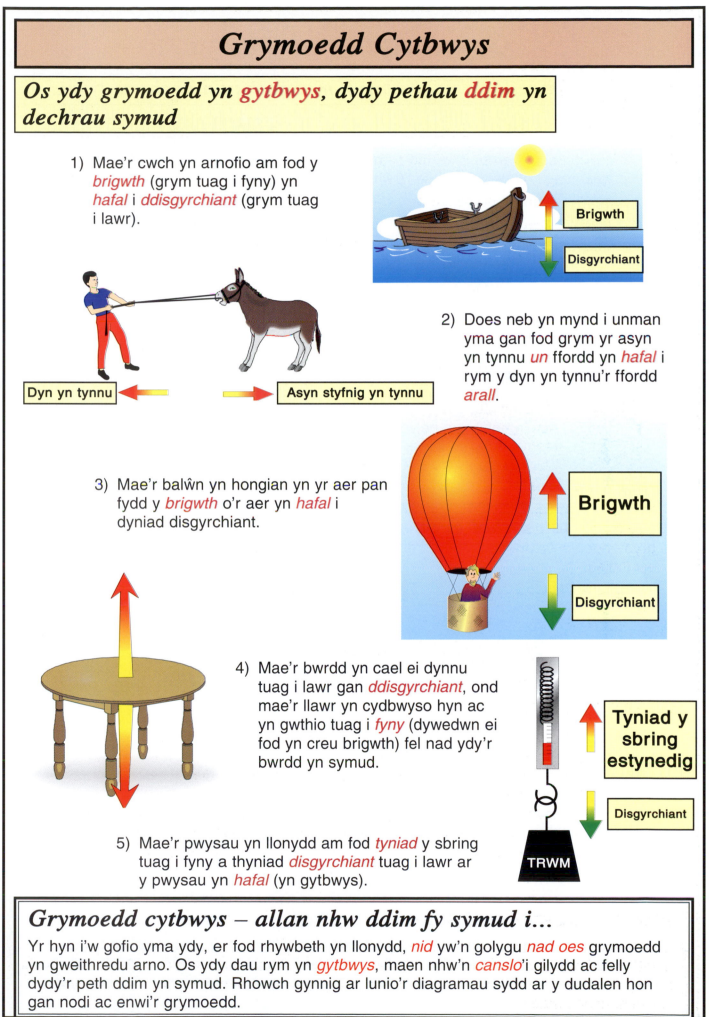

1) Mae'r cwch yn arnofio am fod y *brigwth* (grym tuag i fyny) yn *hafal* i *ddisgyrchiant* (grym tuag i lawr).

Brigwth

Disgyrchiant

2) Does neb yn mynd i unman yma gan fod grym yr asyn yn tynnu *un* ffordd yn *hafal* i rym y dyn yn tynnu'r ffordd *arall*.

Dyn yn tynnu

Asyn styfnig yn tynnu

3) Mae'r balŵn yn hongian yn yr aer pan fydd y *brigwth* o'r aer yn *hafal* i dyniad disgyrchiant.

Brigwth

Disgyrchiant

4) Mae'r bwrdd yn cael ei dynnu tuag i lawr gan *ddisgyrchiant*, ond mae'r llawr yn cydbwyso hyn ac yn gwthio tuag i *fyny* (dywedwn ei fod yn creu brigwth) fel nad ydy'r bwrdd yn symud.

Tyniad y sbring estynedig

Disgyrchiant

TRWM

5) Mae'r pwysau yn llonydd am fod *tyniad* y sbring tuag i fyny a thyniad *disgyrchiant* tuag i lawr ar y pwysau yn *hafal* (yn gytbwys).

Grymoedd cytbwys — allan nhw ddim fy symud i...

Yr hyn i'w gofio yma ydy, er fod rhywbeth yn llonydd, *nid* yw'n golygu *nad oes* grymoedd yn gweithredu arno. Os ydy dau rym yn *gytbwys*, maen nhw'n *canslo*'i gilydd ac felly dydy'r peth ddim yn symud. Rhowch gynnig ar lunio'r diagramau sydd ar y dudalen hon gan nodi ac enwi'r grymoedd.

Grymoedd Anghytbwys

Pan fydd grymoedd yn *anghytbwys*, mae pethau'n dechrau *symud*

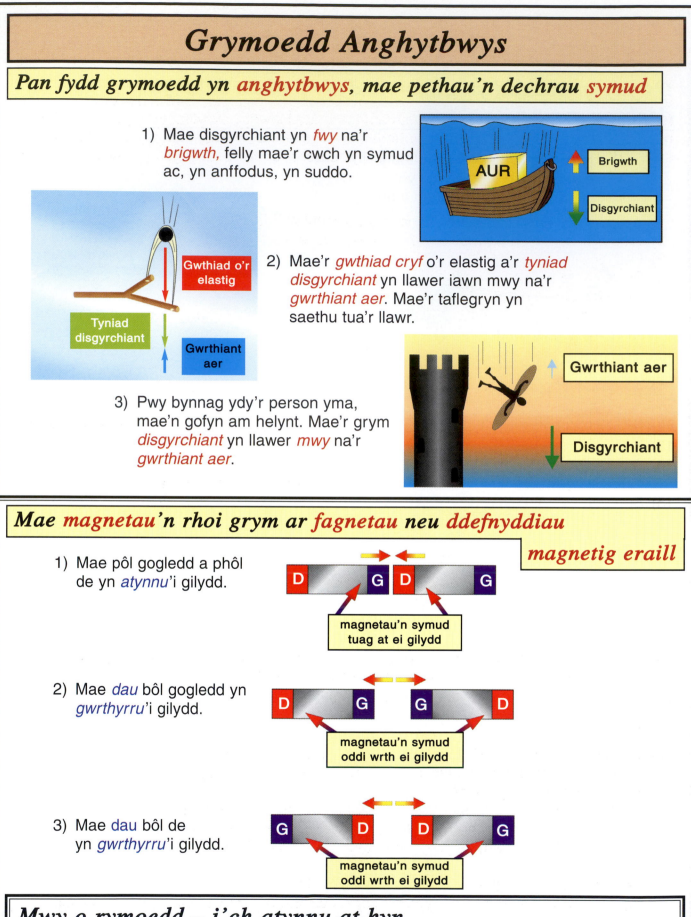

1) Mae disgyrchiant yn *fwy* na'r *brigwth,* felly mae'r cwch yn symud ac, yn anffodus, yn suddo.

2) Mae'r *gwthiad cryf* o'r elastig a'r *tyniad disgyrchiant* yn llawer iawn mwy na'r *gwrthiant aer*. Mae'r taflegryn yn saethu tua'r llawr.

3) Pwy bynnag ydy'r person yma, mae'n gofyn am helynt. Mae'r grym *disgyrchiant* yn llawer *mwy* na'r *gwrthiant aer*.

Mae *magnetau'n rhoi grym ar fagnetau* neu *ddefnyddiau*
magnetig eraill

1) Mae pôl gogledd a phôl de yn *atynnu*'i gilydd.

magnetau'n symud tuag at ei gilydd

2) Mae *dau* bôl gogledd yn *gwrthyrru*'i gilydd.

magnetau'n symud oddi wrth ei gilydd

3) Mae *dau* bôl de yn *gwrthyrru*'i gilydd.

magnetau'n symud oddi wrth ei gilydd

Mwy o rymoedd – i'ch atynnu at hyn...

Os ydy'r grymoedd ar rywbeth llonydd yn gytbwys, mae'n rhaid i'r grymoedd ar bethau sy'n symud fod yn.....ond, yn anffodus, dydy pethau ddim mor syml â hynny. Cofiwch fod grymoedd yn gwneud i bethau *gyflymu* neu *arafu* ac yn gwneud i bethau *ddechrau* neu *stopio* symud. Mae symud ar fuanedd *cyson* ar linell syth yn golygu grymoedd *cytbwys*.

Adolygu Adran 10

Wel, dyma ni, y dudalen y buoch i gyd yn disgwyl amdani. Yma cewch weld faint yr ydych yn ei *wybod* am *rymoedd*. Bydd rhai o'r cwestiynau hyn yn *ymestyn* ychydig arnoch chi... Bydd raid i chi allu cymhwyso'ch gwybodaeth am rymoedd i lawer o sefyllfaoedd gwahanol. Bydd raid i chi wybod am y grymoedd hyn: ffrithiant, gwrthiant aer, disgyrchiant a brigwth. Mae'n syniad da i ddysgu eu sillafu hefyd fel y gall yr arholwr ddeall beth ydych yn ceisio'i ddweud.

1) Ym mha *ddwy* ffordd mae grymoedd yn gweithio?
2) Pa *bedwar* peth all grymoedd achosi i wrthrychau eu gwneud?
3) Beth ydy *unedau* grym?
4) Pa *offer* fyddech chi'n eu defnyddio i fesur grym?
5) Beth ydy *ffrithiant*?
6) Pa fath o *arwyneb* ddylai fod i *lithren* i'ch galluogi i symud i lawr yn gyflym?
7) Beth ydy enw'r grym sy'n rhoi *gafael* i ni?
8) Pam mae gennym ni *afael* da ar wadnau ein hesgidiau?
9) Pa fath o *arwyneb* ddylai fod ar lethr i atal llithro?
10) Beth gaiff ei gynhyrchu pan fydd dau arwyneb yn *rhwbio yn ei gilydd*?
11) Beth ydy *gwrthiant aer*?
12) Pa fath o *siâp* ddylai fod gan wrthrych fel ei fod yn gallu teithio'n *gyflymach* drwy'r aer?
13) Enwch rywbeth sy'n gorfod teithio'n *araf* drwy'r aer. *Sut* gall wneud hyn?
14) Beth ydy *enw*'r grym sy'n tynnu gwrthrychau i *lawr* tuag at ganol y Ddaear?
    Oes yna rywle ar y Ddaear lle *nad ydych chi*'n teimlo effaith y grym hwn?
15) Sut mae adar yn *goresgyn* grym disgyrchiant ac aros i fyny yn yr awyr?

16) I atal bwrdd yn eich dosbarth rhag disgyn drwy'r llawr, beth sydd raid i'r *llawr* ei wneud yn erbyn y grym disgyrchiant sy'n tynnu'r bwrdd i lawr?
17) Pa *ddau* rym sy'n gweithredu ar wrthrych sy'n *arnofio* mewn dŵr? Lluniwch ddiagram a dangoswch y grymoedd arno.
18) Beth ydy ystyr y gair *brigwth*?
19) Os defnyddiwch blastisîn i wneud siâp *cwch* mawr, bydd yn *arnofio*, ond os defnyddiwch yr un faint o blastisîn i wneud *pêl* fechan gron, bydd yn *suddo*. Pam mae hyn yn digwydd?
20) O safbwynt y *grymoedd* sy'n gweithredu arno, pam mae cwch yn arnofio?
21) Pa *ddau* rym sy'n gweithredu ar falŵn heliwm sy'n arnofio mewn aer?
22) Mewn gêm tynnu rhaff, os ydy'r ddau dîm yn tynnu gyda grym *hafal*, beth sy'n digwydd?
23) Pam ei bod yn beryglus i neidio oddi ar adeilad uchel?
    Eglurwch hyn o safbwynt y grymoedd sy'n gweithredu arnoch chi...
24) Pryd mae dau fagnet yn *gwrthyrru*'i gilydd?
25) Pryd mae dau fagnet yn *atynnu*'i gilydd?
26) Lluniwch saethau i ddangos y grymoedd sy'n gweithredu ar y clipiau papur yn y diagram gyferbyn.

Ffynonellau Goleuni

Os ydy pethau'n dywyll i chi ynglŷn â goleuni a sut rydych chi'n gweld, ewch ymlaen ac fe ddaw popeth yn glir.

1) Mae *ffynonellau* goleuni – yn cynhyrchu goleuni

Ffynonellau goleuni: —

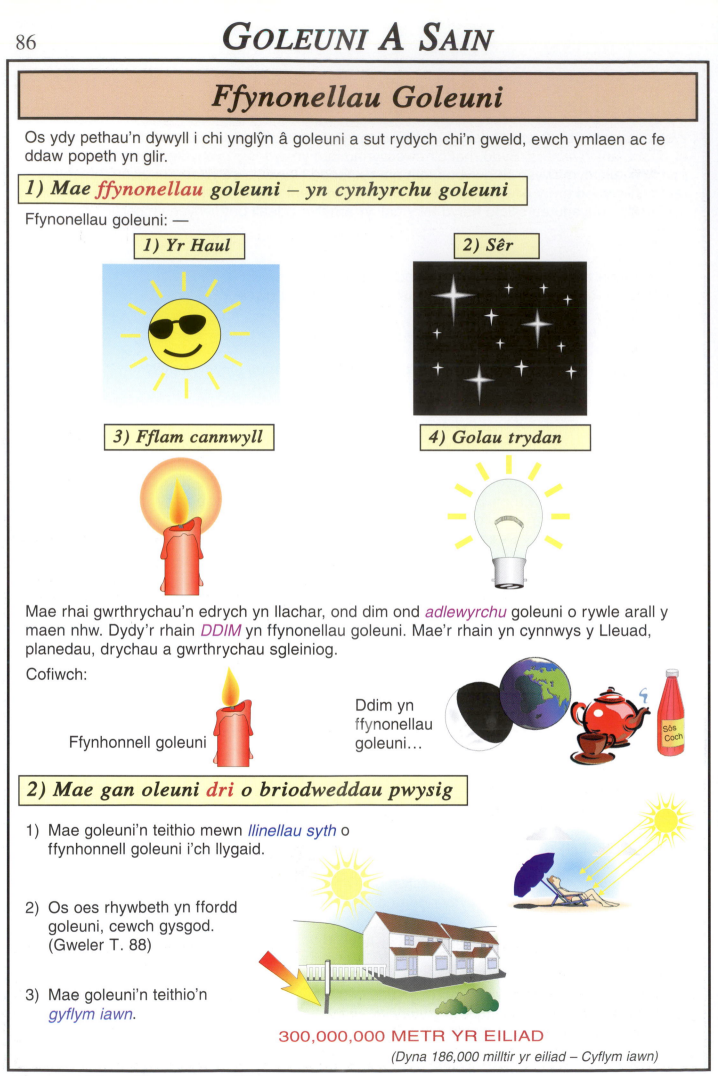

1) Yr Haul

2) Sêr

3) Fflam cannwyll

4) Golau trydan

Mae rhai gwrthrychau'n edrych yn llachar, ond dim ond *adlewyrchu* goleuni o rywle arall y maen nhw. Dydy'r rhain *DDIM* yn ffynonellau goleuni. Mae'r rhain yn cynnwys y Lleuad, planedau, drychau a gwrthrychau sgleiniog.

Cofiwch:

Ffynhonnell goleuni

Ddim yn ffynonellau goleuni…

Sôs Coch

2) Mae gan oleuni *dri* o briodweddau pwysig

1) Mae goleuni'n teithio mewn *llinellau syth* o ffynhonnell goleuni i'ch llygaid.

2) Os oes rhywbeth yn ffordd goleuni, cewch gysgod. (Gweler T. 88)

3) Mae goleuni'n teithio'n *gyflym iawn*.

300,000,000 METR YR EILIAD

(Dyna 186,000 milltir yr eiliad – Cyflym iawn)

ADRAN 11 – GOLEUNI A SAIN

Sut Gallwn Weld

Gallwn *weld* pan fydd goleuni'n *mynd i mewn* i'n *llygaid*

1) Gall goleuni ddod *yn union* o'r ffynhonnell i'ch llygaid – fel pan fyddwch chi'n edrych ar *gannwyll*.

> **Rhowch y saeth ar y pelydryn goleuni yn pwyntio oddi wrth y ffynhonnell a thuag at y llygad.**

2) Mae goleuni hefyd yn *adlamu* oddi ar wrthrychau i'ch llygaid – fel pan fyddwch chi'n edrych ar *deisen*.

> **Wow!! neis**

Mae *goleuni'n adlewyrchu'n well* oddi ar rai defnyddiau nag eraill

1) Mae *drychau* a gwrthrychau *sgleiniog* yn adlewyrchu goleuni'n dda. Mae goleuni'n adlamu oddi ar yr arwyneb ac i mewn i'ch llygaid.

> Ddrych, ddrych dwed i mi, p'run yw'r hardda yn tŷ ni?

> YCH!

2) Dydy gwrthrychau *pŵl*, *tywyll* a *du ddim* yn adlewyrchu goleuni'n dda. All y goleuni *ddim* adlamu oddi ar yr arwyneb.

Ydych chi'n gweld erbyn hyn...?

Cofiwch, lluniwch eich pelydrau goleuni'n llinellau *syth* a gwnewch yn siŵr eu bod nhw'n dechrau a gorffen *ar* y gwrthrychau pwysig (nid yn eu hymyl). Maen nhw'n mynd o'r ffynhonnell i'r llygad, nid y ffordd arall. Dysgwch am *ffynonellau goleuni*, a chofiwch nad ydy pethau fel y Lleuad ddim ond yn *adlewyrchu* goleuni'r Haul.

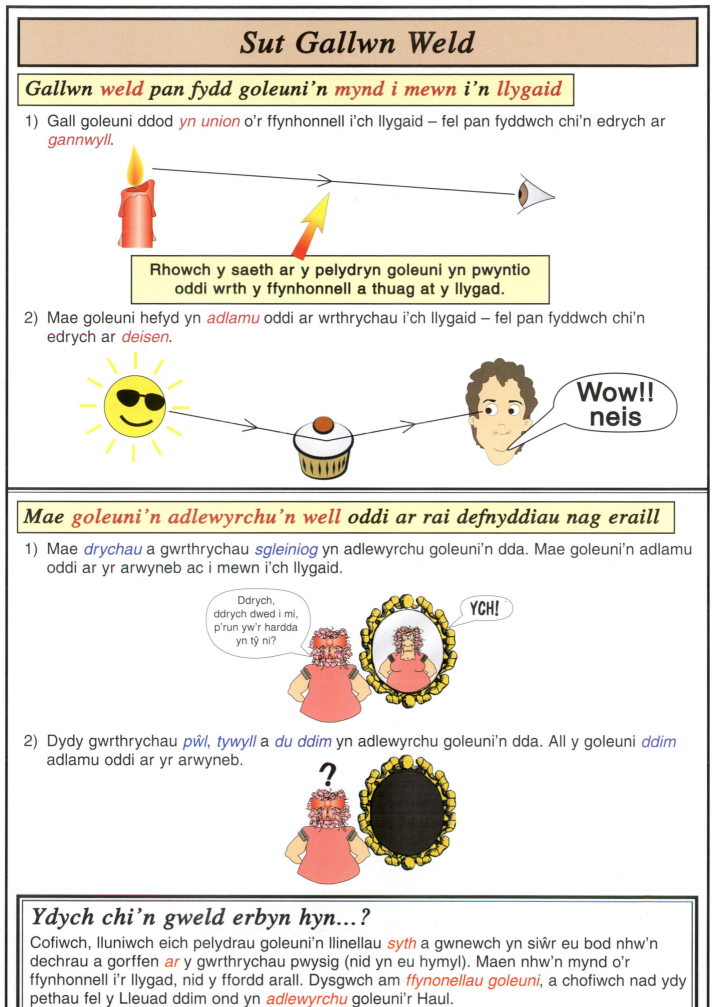

ADRAN 11 – GOLEUNI A SAIN

Cysgodion

Mae *goleuni'n* gallu *mynd* drwy rai *defnyddiau*

1) Gelwir defnyddiau mae goleuni'n gallu mynd drwyddyn nhw yn ddefnyddiau *tryloyw*.
   Mae defnyddiau tryloyw yn cynnwys gwydr, plastig clir, aer.

2) Gelwir defnyddiau sy'n gadael *peth* goleuni drwyddyn nhw, ond na allwch weld drwyddyn nhw'n glir, yn ddefnyddiau *tryleu*
   – enghreifftiau ydy bocs brechdanau, neu bapur sidan.

3) Gelwir defnyddiau sydd ddim yn gadael goleuni drwyddyn nhw yn ddefnyddiau *di-draidd*. Mae defnyddiau di-draidd yn cynnwys pren, metel, carreg, cath drws nesa a chi.

Pan fydd goleuni o *ffynhonnell* yn cael ei atal – cewch *gysgod*

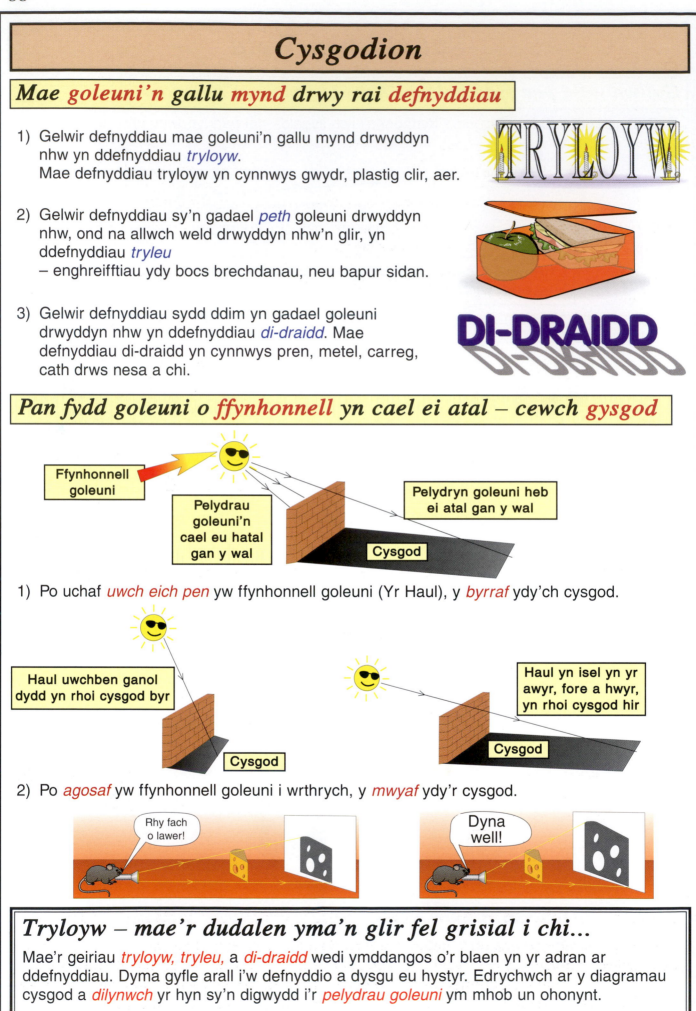

1) Po uchaf *uwch eich pen* yw ffynhonnell goleuni (Yr Haul), y *byrraf* ydy'ch cysgod.

2) Po *agosaf* yw ffynhonnell goleuni i wrthrych, y *mwyaf* ydy'r cysgod.

Tryloyw – mae'r dudalen yma'n glir fel grisial i chi...

Mae'r geiriau *tryloyw, tryleu*, a *di-draidd* wedi ymddangos o'r blaen yn yr adran ar ddefnyddiau. Dyma gyfle arall i'w defnyddio a dysgu eu hystyr. Edrychwch ar y diagramau cysgod a *dilynwch* yr hyn sy'n digwydd i'r *pelydrau goleuni* ym mhob un ohonynt.

Drychau

Mae *drychau'n adlewyrchu* goleuni'n *ôl* ar yr un *ongl*

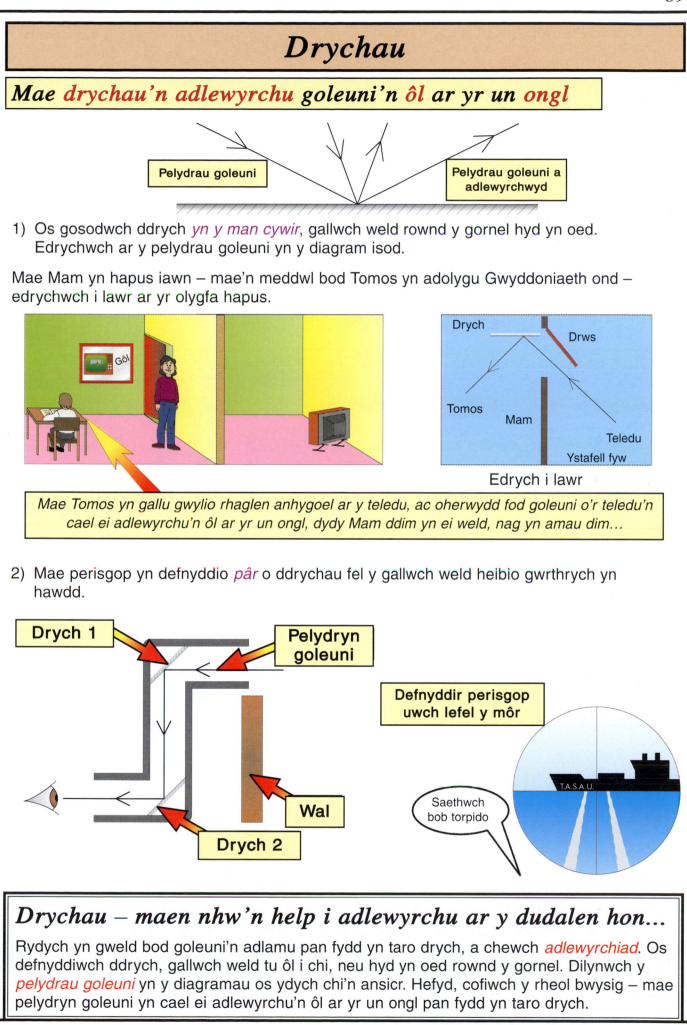

Pelydrau goleuni

Pelydrau goleuni a adlewyrchwyd

1) Os gosodwch ddrych *yn y man cywir*, gallwch weld rownd y gornel hyd yn oed. Edrychwch ar y pelydrau goleuni yn y diagram isod.

Mae Mam yn hapus iawn – mae'n meddwl bod Tomos yn adolygu Gwyddoniaeth ond – edrychwch i lawr ar yr olygfa hapus.

Gôl

Drych

Drws

Tomos

Mam

Teledu

Ystafell fyw

Edrych i lawr

Mae Tomos yn gallu gwylio rhaglen anhygoel ar y teledu, ac oherwydd fod goleuni o'r teledu'n cael ei adlewyrchu'n ôl ar yr un ongl, dydy Mam ddim yn ei weld, nag yn amau dim...

2) Mae perisgop yn defnyddio *pâr* o ddrychau fel y gallwch weld heibio gwrthrych yn hawdd.

Drych 1

Pelydryn goleuni

Defnyddir perisgop uwch lefel y môr

Wal

Drych 2

T.A.S.A.U.

Saethwch bob torpido

Drychau – maen nhw'n help i adlewyrchu ar y dudalen hon...

Rydych yn gweld bod goleuni'n adlamu pan fydd yn taro drych, a chewch *adlewyrchiad*. Os defnyddiwch ddrych, gallwch weld tu ôl i chi, neu hyd yn oed rownd y gornel. Dilynwch y *pelydrau goleuni* yn y diagramau os ydych chi'n ansicr. Hefyd, cofiwch y rheol bwysig – mae pelydryn goleuni yn cael ei adlewyrchu'n ôl ar yr un ongl pan fydd yn taro drych.

Cynhyrchu Sain

Dyma bopeth mae angen i chi ei wybod am sain – mewn dim ond dwy dudalen. Mae'n swnio'n rhy dda i fod yn wir…

1) *Mae sain neu sŵn yn digwydd pan fydd rhywbeth yn dirgrynu*

1) Weithiau mae'n amlwg beth sy'n dirgrynu i gynhyrchu sŵn.

2) Dro arall – dydy hi ddim mor amlwg. Yr aer yn y botel sy'n dirgrynu yma i gynhyrchu sain.

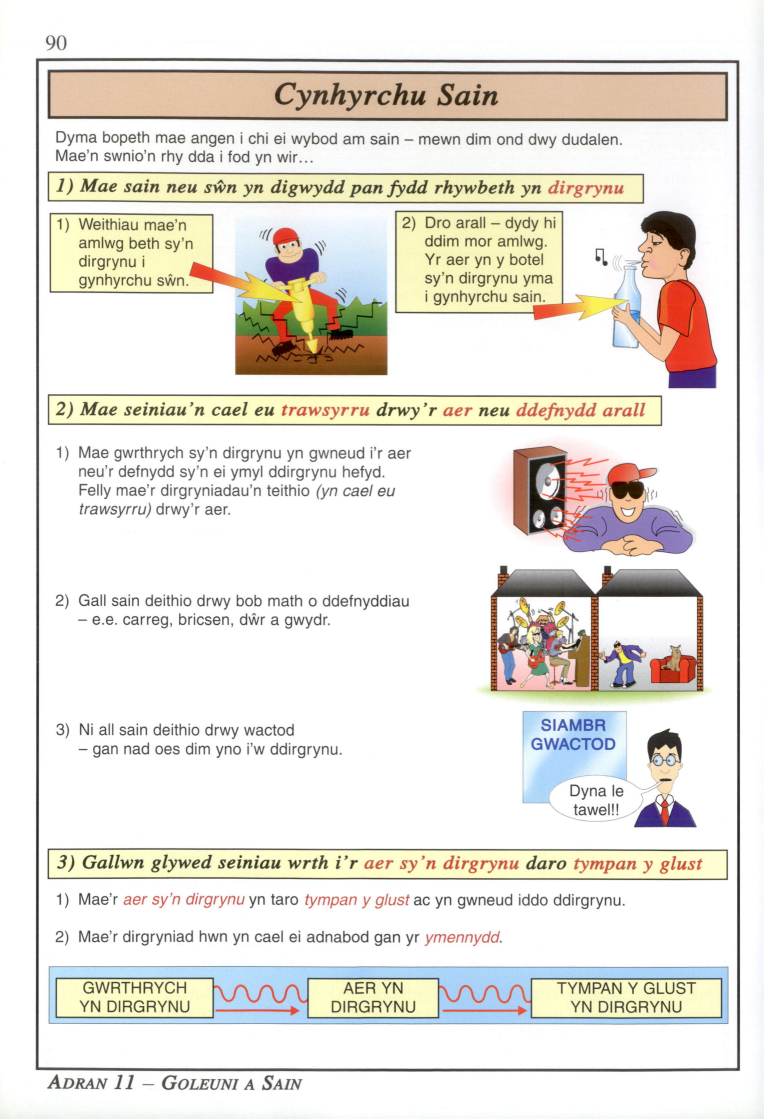

2) *Mae seiniau'n cael eu trawsyrru drwy'r aer neu ddefnydd arall*

1) Mae gwrthrych sy'n dirgrynu yn gwneud i'r aer neu'r defnydd sy'n ei ymyl ddirgrynu hefyd. Felly mae'r dirgryniadau'n teithio *(yn cael eu trawsyrru)* drwy'r aer.

2) Gall sain deithio drwy bob math o ddefnyddiau – e.e. carreg, bricsen, dŵr a gwydr.

3) Ni all sain deithio drwy wactod – gan nad oes dim yno i'w ddirgrynu.

SIAMBR GWACTOD

Dyna le tawel!!

3) *Gallwn glywed seiniau wrth i'r aer sy'n dirgrynu daro tympan y glust*

1) Mae'r *aer sy'n dirgrynu* yn taro *tympan y glust* ac yn gwneud iddo ddirgrynu.

2) Mae'r dirgryniad hwn yn cael ei adnabod gan yr *ymennydd*.

GWRTHRYCH YN DIRGRYNU	→	AER YN DIRGRYNU	→	TYMPAN Y GLUST YN DIRGRYNU

Newid Sain

Po fwyaf yr egni mewn dirgryniad – y CRYFAF y sain

Yn syml, y caletaf y gwnewch chi daro rhywbeth y *cryfaf* y sain.

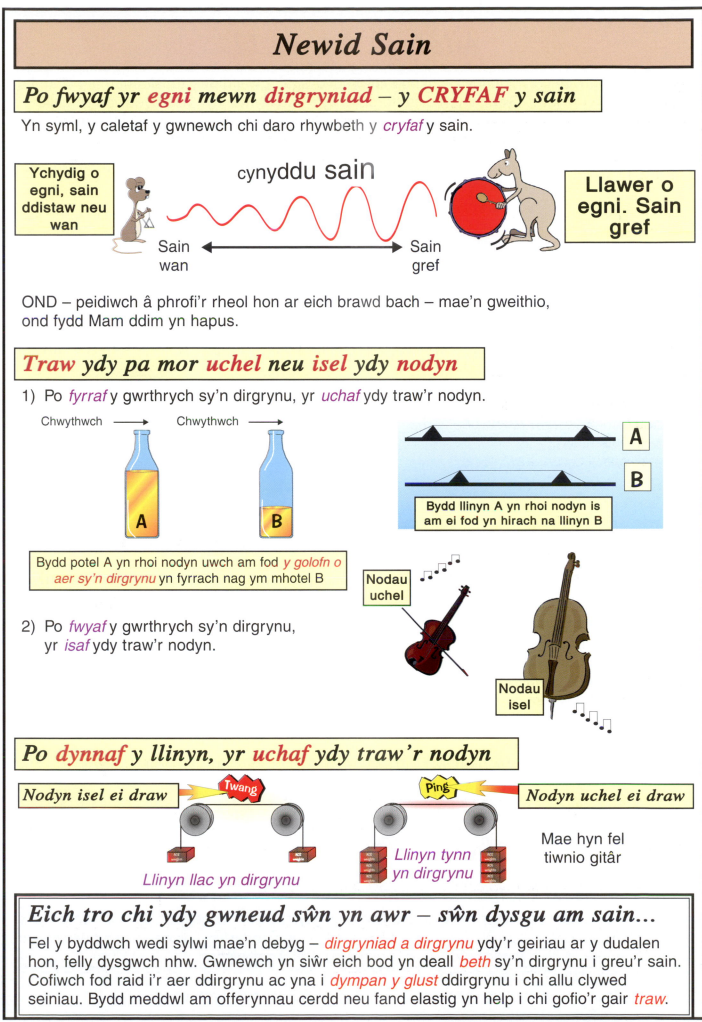

Ychydig o egni, sain ddistaw neu wan

cynyddu sain

Sain wan ⟷ Sain gref

Llawer o egni. Sain gref

OND – peidiwch â phrofi'r rheol hon ar eich brawd bach – mae'n gweithio, ond fydd Mam ddim yn hapus.

Traw ydy pa mor uchel neu isel ydy nodyn

1) Po *fyrraf* y gwrthrych sy'n dirgrynu, yr *uchaf* ydy traw'r nodyn.

Chwythwch →   Chwythwch →

A
B

Bydd llinyn A yn rhoi nodyn is am ei fod yn hirach na llinyn B

Bydd potel A yn rhoi nodyn uwch am fod *y golofn o aer sy'n dirgrynu* yn fyrrach nag ym mhotel B

Nodau uchel

2) Po *fwyaf* y gwrthrych sy'n dirgrynu, yr *isaf* ydy traw'r nodyn.

Nodau isel

Po dynnaf y llinyn, yr uchaf ydy traw'r nodyn

Nodyn isel ei draw

Twang

Ping

Nodyn uchel ei draw

Llinyn llac yn dirgrynu

Llinyn tynn yn dirgrynu

Mae hyn fel tiwnio gitâr

Eich tro chi ydy gwneud sŵn yn awr – sŵn dysgu am sain...

Fel y byddwch wedi sylwi mae'n debyg – *dirgryniad a dirgrynu* ydy'r geiriau ar y dudalen hon, felly dysgwch nhw. Gwnewch yn siŵr eich bod yn deall *beth* sy'n dirgrynu i greu'r sain. Cofiwch fod raid i'r aer ddirgrynu ac yna i *dympan y glust* ddirgrynu i chi allu clywed seiniau. Bydd meddwl am offerynnau cerdd neu fand elastig yn help i chi gofio'r gair *traw*.

Adolygu Adran 11

Nawr te, os ydych chi'n meddwl eich bod chi wedi dysgu'r gwaith ar y tudalennau am oleuni a sain, dyma'r *awr fawr*. Gweithiwch eich ffordd drwy'r cwestiynau hyn nes byddwch yn gallu eu hateb i gyd heb boeni dim. Os cewch chi drafferth, edrychwch eto ar y gwaith – mae'r atebion i gyd yno. Os byddwch yn llunio diagram a phelydrau ynddo, defnyddiwch bren mesur a chofiwch roi saethau i'r cyfeiriad cywir arnyn nhw.

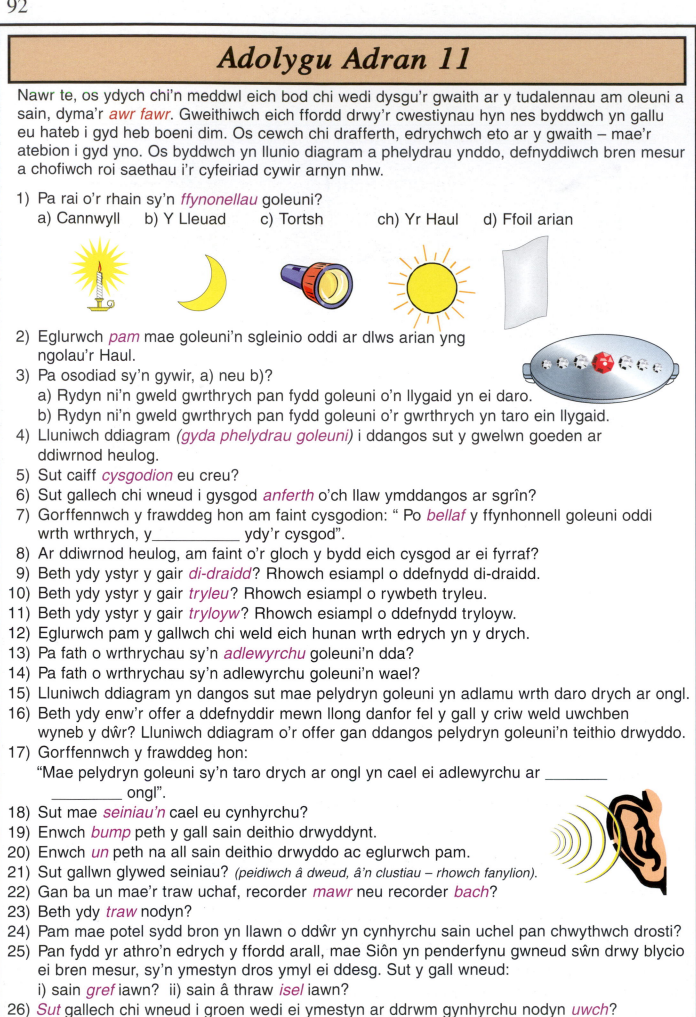

1) Pa rai o'r rhain sy'n *ffynonellau* goleuni?
   a) Cannwyll   b) Y Lleuad   c) Tortsh   ch) Yr Haul   d) Ffoil arian

2) Eglurwch *pam* mae goleuni'n sgleinio oddi ar dlws arian yng ngolau'r Haul.

3) Pa osodiad sy'n gywir, a) neu b)?
   a) Rydyn ni'n gweld gwrthrych pan fydd goleuni o'n llygaid yn ei daro.
   b) Rydyn ni'n gweld gwrthrych pan fydd goleuni o'r gwrthrych yn taro ein llygaid.

4) Lluniwch ddiagram *(gyda phelydrau goleuni)* i ddangos sut y gwelwn goeden ar ddiwrnod heulog.

5) Sut caiff *cysgodion* eu creu?

6) Sut gallech chi wneud i gysgod *anferth* o'ch llaw ymddangos ar sgrîn?

7) Gorffennwch y frawddeg hon am faint cysgodion: " Po *bellaf* y ffynhonnell goleuni oddi wrth wrthrych, y_____ ydy'r cysgod".

8) Ar ddiwrnod heulog, am faint o'r gloch y bydd eich cysgod ar ei fyrraf?

9) Beth ydy ystyr y gair *di-draidd*? Rhowch esiampl o ddefnydd di-draidd.

10) Beth ydy ystyr y gair *tryleu*? Rhowch esiampl o rywbeth tryleu.

11) Beth ydy ystyr y gair *tryloyw*? Rhowch esiampl o ddefnydd tryloyw.

12) Eglurwch pam y gallwch chi weld eich hunan wrth edrych yn y drych.

13) Pa fath o wrthrychau sy'n *adlewyrchu* goleuni'n dda?

14) Pa fath o wrthrychau sy'n adlewyrchu goleuni'n wael?

15) Lluniwch ddiagram yn dangos sut mae pelydryn goleuni yn adlamu wrth daro drych ar ongl.

16) Beth ydy enw'r offer a ddefnyddir mewn llong danfor fel y gall y criw weld uwchben wyneb y dŵr? Lluniwch ddiagram o'r offer gan ddangos pelydryn goleuni'n teithio drwyddo.

17) Gorffennwch y frawddeg hon:
    "Mae pelydryn goleuni sy'n taro drych ar ongl yn cael ei adlewyrchu ar _____ _____ ongl".

18) Sut mae *seiniau'n* cael eu cynhyrchu?

19) Enwch *bump* peth y gall sain deithio drwyddynt.

20) Enwch *un* peth na all sain deithio drwyddo ac eglurwch pam.

21) Sut gallwn glywed seiniau? *(peidiwch â dweud, â'n clustiau – rhowch fanylion)*.

22) Gan ba un mae'r traw uchaf, recorder *mawr* neu recorder *bach*?

23) Beth ydy *traw* nodyn?

24) Pam mae potel sydd bron yn llawn o ddŵr yn cynhyrchu sain uchel pan chwythwch drosti?

25) Pan fydd yr athro'n edrych y ffordd arall, mae Siôn yn penderfynu gwneud sŵn drwy blycio ei bren mesur, sy'n ymestyn dros ymyl ei ddesg. Sut y gall wneud:
    i) sain *gref* iawn?   ii) sain â thraw *isel* iawn?

26) *Sut* gallech chi wneud i groen wedi ei ymestyn ar ddrwm gynhyrchu nodyn *uwch*?

Cysawd yr Haul

Mae Gwyddoniaeth hefyd yn trafod y gofod:

Seren yng nghanol Cysawd yr Haul ydy'r Haul

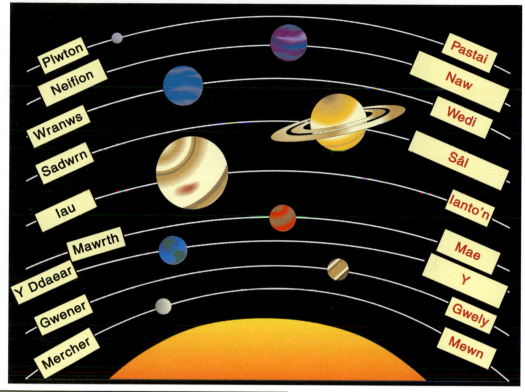

Plwton · Neifion · Wranws · Sadwrn · Iau · Mawrth · Y Ddaear · Gwener · Mercher

Pastai · Naw · Wedi · Sâl · Ianto'n · Mae · Y · Gwely · Mewn

Saith ffaith am Gysawd yr Haul

1) Mae Cysawd yr Haul yn cynnwys yr *holl* blanedau, asteroidau a chomedau sy'n *troi mewn orbit o gwmpas* yr Haul.

2) *Orbit* ydy'r *llwybr* mae gwrthrych yn ei gymryd drwy'r gofod o gwmpas gwrthrych arall.

3) Mae'r planedau'n cael eu dal yn eu horbitau o gwmpas yr Haul gan *rym disgyrchiant* yr Haul.

4) Mae'r Haul, y Ddaear, ein Lleuad ni a'r planedau i gyd fwy neu lai ar ffurf *sffêr* (crwn).

5) Y Ddaear ydy'r *drydedd* blaned o'r Haul. Mae Mercher a Gwener yn *nes* i'r Haul na'r Ddaear.

6) Mae Mawrth, Iau, Sadwrn, Wranws, Neifion a Plwton i gyd *ymhellach i ffwrdd*.

7) Defnyddiwch y frawddeg hon i gofio *trefn* y planedau:-

Mercher	Gwener	Y Ddaear	Mawrth	Iau	Sadwrn	Wranws	Neifion	Plwton
Mewn	Gwely	Y	Mae	Ianto'n	Sâl	Wedi	Naw	Pastai

Cysawd yr Haul – mae allan o'r byd hwn...

Dyna ni, *saith* ffaith slic i'w dysgu ac *un* diagram i'ch helpu i gofio'r cyfan.
Cofiwch fod y Ddaear a'r Haul yn sfferig. Meddyliwch am unrhyw dystiolaeth y daethoch o hyd iddi sy'n dangos hyn.

Y Lleuad

Mae'r Lleuad yn troi o gwmpas y Ddaear mewn orbit

1) Mae'n cymryd tua *28 diwrnod* i'r Lleuad droi o gwmpas y Ddaear yn ei horbit.

2) Mae'r Lleuad yn cael ei dal yn ei horbit o gwmpas y Ddaear gan *rym disgyrchiant* y Ddaear.

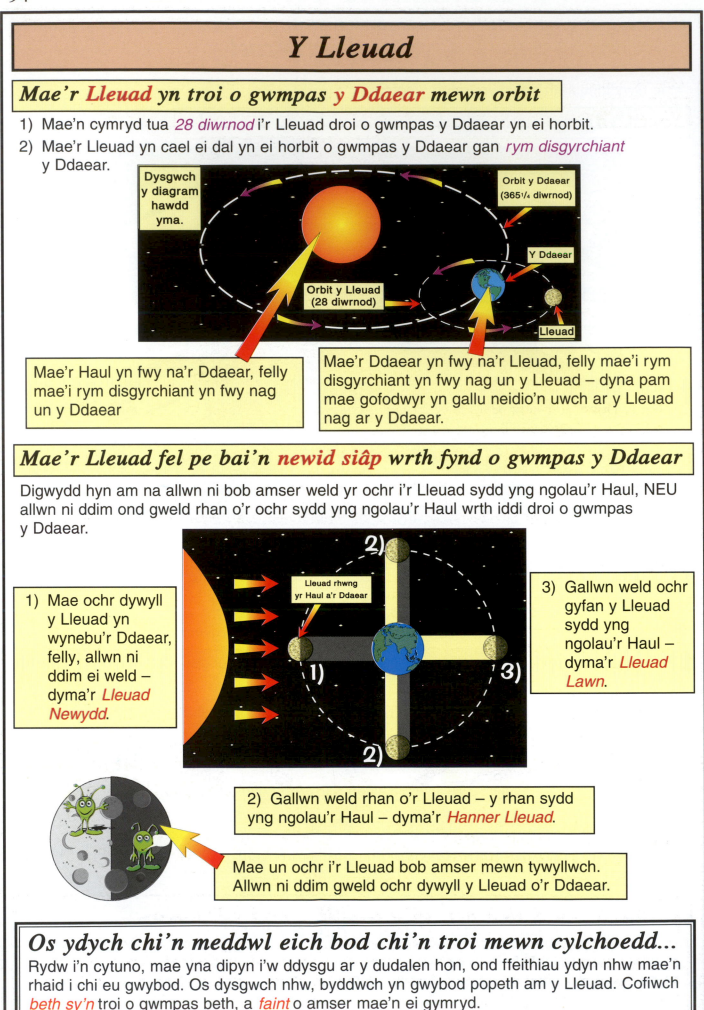

Dysgwch y diagram hawdd yma.

Orbit y Ddaear (365¹/₄ diwrnod)

Y Ddaear

Orbit y Lleuad (28 diwrnod)

Lleuad

Mae'r Haul yn fwy na'r Ddaear, felly mae'i rym disgyrchiant yn fwy nag un y Ddaear

Mae'r Ddaear yn fwy na'r Lleuad, felly mae'i rym disgyrchiant yn fwy nag un y Lleuad – dyna pam mae gofodwyr yn gallu neidio'n uwch ar y Lleuad nag ar y Ddaear.

Mae'r Lleuad fel pe bai'n newid siâp wrth fynd o gwmpas y Ddaear

Digwydd hyn am na allwn ni bob amser weld yr ochr i'r Lleuad sydd yng ngolau'r Haul, NEU allwn ni ddim ond gweld rhan o'r ochr sydd yng ngolau'r Haul wrth iddi droi o gwmpas y Ddaear.

2)

Lleuad rhwng yr Haul a'r Ddaear

1) Mae ochr dywyll y Lleuad yn wynebu'r Ddaear, felly, allwn ni ddim ei weld – dyma'r *Lleuad Newydd*.

3) Gallwn weld ochr gyfan y Lleuad sydd yng ngolau'r Haul – dyma'r *Lleuad Lawn*.

1)   3)

2)

2) Gallwn weld rhan o'r Lleuad – y rhan sydd yng ngolau'r Haul – dyma'r *Hanner Lleuad*.

Mae un ochr i'r Lleuad bob amser mewn tywyllwch. Allwn ni ddim gweld ochr dywyll y Lleuad o'r Ddaear.

Os ydych chi'n meddwl eich bod chi'n troi mewn cylchoedd...

Rydw i'n cytuno, mae yna dipyn i'w ddysgu ar y dudalen hon, ond ffeithiau ydyn nhw mae'n rhaid i chi eu gwybod. Os dysgwch nhw, byddwch yn gwybod popeth am y Lleuad. Cofiwch *beth sy'n* troi o gwmpas beth, a *faint* o amser mae'n ei gymryd.

Y Cyfan Mewn Diwrnod

Mae symudiad y Ddaear yn y gofod yn rhoi dydd a nos i ni – dyma sut.

1) Mae'r Ddaear yn troelli o amgylch ei hechelin ei hun

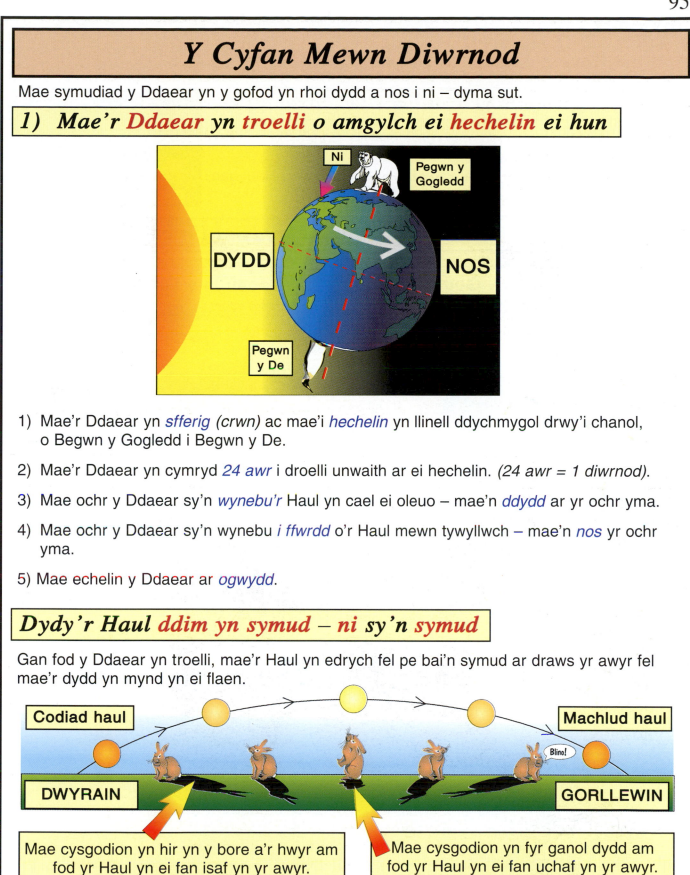

1) Mae'r Ddaear yn *sfferig (crwn)* ac mae'i *hechelin* yn llinell ddychmygol drwy'i chanol, o Begwn y Gogledd i Begwn y De.

2) Mae'r Ddaear yn cymryd *24 awr* i droelli unwaith ar ei hechelin. *(24 awr = 1 diwrnod)*.

3) Mae ochr y Ddaear sy'n *wynebu'r* Haul yn cael ei oleuo – mae'n *ddydd* ar yr ochr yma.

4) Mae ochr y Ddaear sy'n wynebu *i ffwrdd* o'r Haul mewn tywyllwch – mae'n *nos* yr ochr yma.

5) Mae echelin y Ddaear ar *ogwydd*.

Dydy'r Haul ddim yn symud – ni sy'n symud

Gan fod y Ddaear yn troelli, mae'r Haul yn edrych fel pe bai'n symud ar draws yr awyr fel mae'r dydd yn mynd yn ei flaen.

Codiad haul — **Machlud haul**

DWYRAIN — **GORLLEWIN**

Mae cysgodion yn hir yn y bore a'r hwyr am fod yr Haul yn ei fan isaf yn yr awyr.

Mae cysgodion yn fyr ganol dydd am fod yr Haul yn ei fan uchaf yn yr awyr.

Cofiwch – nid eich pen sy'n troelli... ond y Ddaear

Rydw i'n gwybod bod pobl o hyd yn sôn am yr Haul yn codi ac yn machlud fel pe bai'n symud o gwmpas y Ddaear, ond dydy hynny *ddim* yn wir; fel arall y mae pethau. Mae'n llawer haws deall hyn os ydych chi wedi gweld eich athro yn smalio/esgus mai tortsh ydy'r Haul ac mai'r glôb ydy'r Ddaear, ac yna'n *troelli* glôb i greu *dydd a nos*. Difyr iawn...

Blwyddyn

1 orbit o gwmpas yr Haul = Blwyddyn

1) Mae'n cymryd *365¼ diwrnod (blwyddyn)* i'r Ddaear wneud un *orbit* o gwmpas yr Haul.
2) Mae'r Ddaear yn cael ei dal yn ei horbit o amgylch yr Haul gan rym *disgyrchiant* yr Haul.

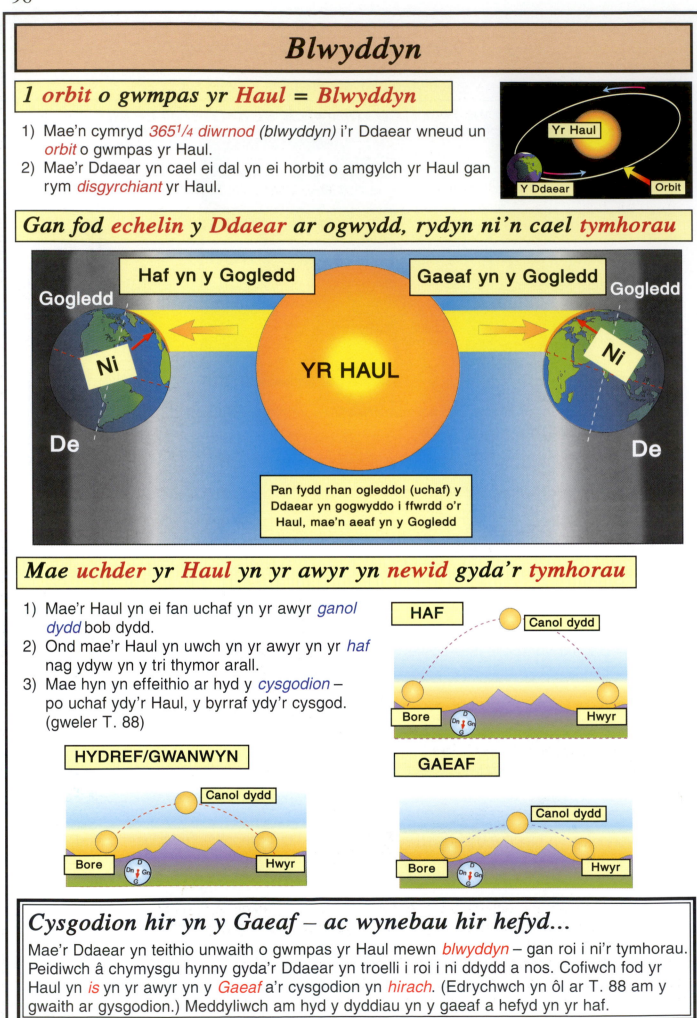

Gan fod echelin y Ddaear ar ogwydd, rydyn ni'n cael tymhorau

Haf yn y Gogledd | Gaeaf yn y Gogledd

Gogledd | Gogledd

Ni | YR HAUL | Ni

De | De

Pan fydd rhan ogleddol (uchaf) y Ddaear yn gogwyddo i ffwrdd o'r Haul, mae'n aeaf yn y Gogledd

Mae uchder yr Haul yn yr awyr yn newid gyda'r tymhorau

1) Mae'r Haul yn ei fan uchaf yn yr awyr *ganol dydd* bob dydd.
2) Ond mae'r Haul yn uwch yn yr awyr yn yr *haf* nag ydyw yn y tri thymor arall.
3) Mae hyn yn effeithio ar hyd y *cysgodion* – po uchaf ydy'r Haul, y byrraf ydy'r cysgod. (gweler T. 88)

HAF — Canol dydd — Bore — Hwyr

HYDREF/GWANWYN — Canol dydd — Bore — Hwyr

GAEAF — Canol dydd — Bore — Hwyr

Cysgodion hir yn y Gaeaf – ac wynebau hir hefyd...

Mae'r Ddaear yn teithio unwaith o gwmpas yr Haul mewn *blwyddyn* – gan roi i ni'r tymhorau. Peidiwch â chymysgu hynny gyda'r Ddaear yn troelli i roi i ni ddydd a nos. Cofiwch fod yr Haul yn *is* yn yr awyr yn y *Gaeaf* a'r cysgodion yn *hirach*. (Edrychwch yn ôl ar T. 88 am y gwaith ar gysgodion.) Meddyliwch am hyd y dyddiau yn y gaeaf a hefyd yn yr haf.

Adolygu Adran 12

Efallai eich bod yn meddwl eich bod chi'n eistedd yn dawel yn gwneud dipyn o wyddoniaeth – ond rydych chi'n *chwyrlïo* o gwmpas mewn cylchoedd yn ogystal â rhuthro drwy'r *gofod* ar fuanedd *aruthrol*, a dweud y gwir. Sut bynnag, gobeithio eich bod yn teimlo'n ddigon da i ateb y cwestiynau hyn.

Edrychwch yn ôl dros y tudalennau os na allwch ateb cwestiwn. Ffeithiau syml ydy'r adran yma'n wir, felly *dysgwch* nhw.

1) Beth ydy'r gwrthrych sydd yng *nghanol Cysawd yr Haul*?
2) Beth sy'n *dal* y planedau yn eu *horbitau* o amgylch yr Haul?
3) Pa *siâp* ydy'r *Haul*, *y Ddaear* a'r *Planedau* eraill?
4) *O gwmpas* beth mae'r *Ddaear* mewn orbit a faint o *amser* mae'n ei gymryd i wneud un orbit?
5) O gwmpas beth mae'r Lleuad mewn *orbit* a faint o *amser* mae'n gymryd i wneud un orbit?
6) Gosodwch yn nhrefn maint: *(or mwyaf i'r lleiaf)* – y *Ddaear*, y *Lleuad* a'r *Haul*.
7) Ydy grym disgyrchiant ar y Lleuad yn *gryfach* neu'n *wannach* na grym disgyrchiant ar y Ddaear?
8) Pam mae'r Lleuad yn *edrych* fel pe bai'n *newid ei siâp* wrth deithio mewn orbit o gwmpas y Ddaear?
9) *Ble* mae'r Lleuad yn ei horbit pan fydd o'r golwg?
10) Ym mha *ddwy ffordd* mae'r Ddaear yn *symud*?
11) Faint o amser mae'n ei gymryd i'r Ddaear *droelli unwaith* o amgylch ei hechelin ei hun?
12) Beth sy'n achosi *dydd* a nos?
13) Ydy hi'n nos *ym mhob rhan* o'r Ddaear yr *un pryd*?

14) Ydy'r *Haul* yn symud o gwmpas y Ddaear?
15) *Ble* mae'r Haul yn ymddangos fel pe bai'n *codi* ac yn *machlud*?
16) Ar ba *adeg o'r dydd* y byddech chi'n disgwyl gweld y cysgodion *byrraf*? *Pam*?

17) Sut mae'r ffaith fod echelin y Ddaear ar *ogwydd* yn effeithio arnon ni?
18) Pa *dymor* ydy hi yn rhannau *gogleddol* y byd pan fydd Pegwn y Gogledd ar ogwydd *tuag* at yr Haul?
19) Rhowch *ddau* reswm pam ei bod hi'n oerach yn y gaeaf nag yn yr haf?
20) Ym mha *dymor* mae yna fwyaf o oriau heulog?
21) Ym mha *dymor* y byddech chi'n disgwyl gweld y *cysgodion* hiraf a *pham*?

Mwy o eiriau ffansi i chi eu dysgu

Dyma'r rhestr hir olaf o eiriau i chi eu dysgu. Aethoch drwy ddwy restr yn barod, felly, dylech fod yn gyfarwydd â'u dysgu nhw erbyn hyn. Cuddiwch y rhannau du ac ysgrifennwch ystyron y rhannau coch. Mae'r geiriau i gyd yn y llyfr ac mae'r rhan fwyaf ohonyn nhw wedi eu darlunio yn rhywle hefyd – edrychwch yn y mynegai i weld ble.

Adlewyrchu/Adlewyrchiad goleuni'n adlamu oddi ar arwyneb llyfn a sgleiniog.

Arwynebedd arwyneb mae gan gwch fwy o arwynebedd arwyneb na phêl sydd wedi ei gwneud o'r un faint o ddefnydd.

Batri y man y daw trydan ohono mewn cylched.

Brigwth grym yn gwthio i fyny o ddŵr, aer neu arwyneb.

Cell enw arall am fatri (nid y celloedd mae creaduriaid byw wedi'u gwneud ohonynt).

Codiad haul pan fydd ein rhan ni o'r Ddaear yn troi i gael ei goleuo gan yr Haul.

Cydran rhywbeth sy'n rhan o gylched e.e. bwlb, swnyn neu fodur.

Cylchdroi gweler Troelli

Cylched gyflawn o un pen i'r batri'n ôl i'r pen arall drwy gydrannau heb fylchau.

Cysawd yr Haul yr Haul, y Ddaear, a'r planedau eraill.

Cysgod pelydrau goleuni'n cael eu hatal gan rywbeth di-draidd.

Dargludydd rhywbeth sy'n gadael i drydan neu wres fynd drwyddo.

Dargludydd trydan rhywbeth sy'n gadael i drydan fynd drwyddo.

Diagram cylched math o law fer i ddangos pob cydran mewn cylched a sut y cysylltwyd nhw.

Di-draidd ddim yn gadael goleuni drwyddo.

Dirgryniad y ffordd mae rhywbeth yn symud i greu sain.

Disgyrchiant grym sy'n ein tynnu tua chanol y Ddaear.

Drych rhywbeth sy'n adlewyrchu goleuni'n dda iawn.

Echelin llinell ddychmygol drwy'r Ddaear o begwn y Gogledd i begwn y De.

Ffrithiant grym rhwng pethau sy'n cyffwrdd â'i gilydd – mae'n rhoi gafael.

Ffynhonnell goleuni rhywbeth sy'n rhoi goleuni.

Grym tyniad neu wthiad – allwn ni ddim ond gweld effaith grym.

Grymoedd cytbwys dau rym hafal mewn cyfeiriadau dirgroes ac yn canslo'i gilydd.

Gwactod lle heb ddim aer.

Gwrthiant aer aer yn gwthio'n ôl yn eich erbyn wrth i chi symud drwyddo.

Gwrthiant dŵr dŵr yn gwthio'n ôl yn eich erbyn wrth i chi symud drwyddo.

Machlud haul pan fydd ein rhan ni o'r Ddaear yn troi fel na all gael ei goleuo gan yr Haul ac mae'n tywyllu.

Mesurydd grym clorian sbring i fesur grym.

Mesurydd newtonau clorian sbring i fesur grym.

Newton uned i fesur grym.

Offer trydan pethau yn y cartref sy'n defnyddio trydan.

Orbit llwybr gwrthrych o gwmpas gwrthrych arall yn y gofod.

Pelydryn goleuni goleuni'n teithio – bob amser mewn llinell syth.

Perisgop dyfais gyda dau ddrych sy'n gadael i chi weld dros bethau.

Pwysau y grym sy'n tynnu i lawr ar rywbeth oherwydd disgyrchiant.

Sain mae'n cael ei wneud gan rywbeth sy'n dirgrynu.

Sffêr/sfferig siâp crwn fel pêl.

Switsh mae'n cau ac agor bwlch i reoli llif trydan.

Symbol cylched mae'n cael ei ddefnyddio yn lle llun mewn diagram cylched.

Tiwnio newid hyd neu dyniant llinyn i newid y sain mae'n ei gynhyrchu.

Traw pa mor uchel neu isel ydy nodyn.

Troelli troi a throi o amgylch ei hechelin ei hun.

Tympan y glust rhan o'r glust sy'n gorfod dirgrynu fel y gallwn glywed seiniau.

Tyniant pa mor dynn yw llinyn.

Tynn gyda llawer o dyniant.

Ynysydd rhywbeth sydd ddim yn gadael i wres na thrydan deithio drwyddo.

Ynysydd trydan rhywbeth sydd ddim yn gadael i drydan deithio drwyddo.

Ymchwilio

Dyma beth sy'n rhaid i chi ei wybod am *wneud arbrawf*, *am gael canlyniadau* ac am *ddeall* eich *canlyniadau*.

1) Mae *nod* i bob arbrawf

Cyn i chi ddechrau gweithio ar arbrawf neu ymchwiliad, rhaid i chi wybod, "Beth ydych yn ceisio ei ddarganfod?" – hynny yw, beth ydy pwrpas neu nod yr arbrawf.

2) Rhaid i'r arbrawf fod yn *brawf teg*

I gynnal arbrawf yn brawf teg –

1) Yn gyntaf, mae'n rhaid i chi *ganfod y newidynnau* – hynny ydy, rhaid i chi ganfod pa bethau sy'n debyg o effeithio ar yr hyn yr ydych am ei ddarganfod.

2) Newidiwch *un* newidyn ar y tro neu fydd yr arbrawf ddim yn un teg.

ER ENGHRAIFFT – Gallech feddwl bod twf planhigyn yn cael ei effeithio gan:
- a) faint o oleuni sydd yna.
- b) faint o wres sydd yna.
- c) y math o bridd sydd yna.
- ch) faint o ddŵr sydd yna.
- d) maint y potyn sydd gennych.

Os ydych chi am ddarganfod sut mae twf planhigyn yn dibynnu ar faint y potyn, rhaid i'r amodau eraill i gyd aros yr un fath. *Newidiwch un newidyn ar y tro…*

3) I fesur eich canlyniadau bydd angen *offer*

OFFER	PWRPAS	UNEDAU	SYMBOL(AU)
Thermomedr	Mesur tymheredd	graddau Celsius	°C
Mesurydd grym	Mesur grym	newtonau	N
Pren/Tâp mesur	Mesur hyd/pellter	milimetrau/centimetrau/metrau	mm/cm/m
Clorian/Clorian sbring	Mesur màs	gramau/cilogramau	g/kg
Silindr/jwg mesur	Mesur cyfaint	mililitrau/litrau	ml/l
Stopwatsh	Mesur amser	eiliadau/munudau	eil/mun

Prawf teg – mae pob prawf yn annheg…

Mae hyn yn *bwysig* iawn. Yn wir, dyma'r peth pwysicaf rydych wedi ei ddysgu yn eich holl wersi gwyddoniaeth. Bob tro y gwnaethoch chi arbrawf, roedd yn rhaid i chi wneud yn siŵr ei fod yn *brawf teg* – neu, fyddech chi byth wedi deall pa un o'r ffactorau (neu newidynnau) oedd yr un a wnaeth y gwahaniaeth. Fyddai yna *ddim* pwynt *o gwbl* mewn arbrawf heb wneud hynny.

Cael Eich Canlyniadau

Eich canlyniadau ydy eich canfyddiadau a'ch arsylwadau

1) Eich canfyddiadau a'ch arsylwadau ydy'r hyn a welwch yn *digwydd* neu'r hyn a *fesurwch*. Y rhain yw eich *canlyniadau*.

2) Ceisiwch gael *cymaint o ganlyniadau â phosibl*.

3) *Cofnodwch* eich canlyniadau mewn tabl.

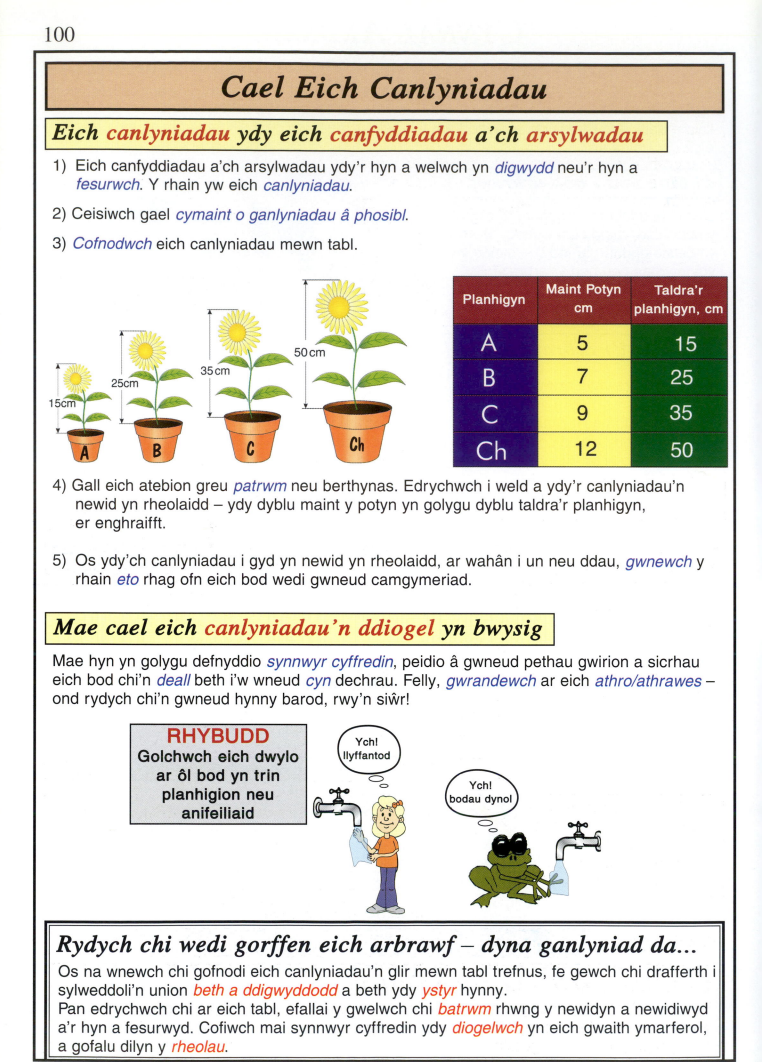

Planhigyn	Maint Potyn cm	Taldra'r planhigyn, cm
A	5	15
B	7	25
C	9	35
Ch	12	50

4) Gall eich atebion greu *patrwm* neu berthynas. Edrychwch i weld a ydy'r canlyniadau'n newid yn rheolaidd – ydy dyblu maint y potyn yn golygu dyblu taldra'r planhigyn, er enghraifft.

5) Os ydy'ch canlyniadau i gyd yn newid yn rheolaidd, ar wahân i un neu ddau, *gwnewch* y rhain *eto* rhag ofn eich bod wedi gwneud camgymeriad.

Mae cael eich canlyniadau'n ddiogel yn bwysig

Mae hyn yn golygu defnyddio *synnwyr cyffredin*, peidio â gwneud pethau gwirion a sicrhau eich bod chi'n *deall* beth i'w wneud *cyn* dechrau. Felly, *gwrandewch* ar eich *athro/athrawes* – ond rydych chi'n gwneud hynny barod, rwy'n siŵr!

RHYBUDD
Golchwch eich dwylo ar ôl bod yn trin planhigion neu anifeiliaid

Ych! llyffantod

Ych! bodau dynol

Rydych chi wedi gorffen eich arbrawf – dyna ganlyniad da…

Os na wnewch chi gofnodi eich canlyniadau'n glir mewn tabl trefnus, fe gewch chi drafferth i sylweddoli'n union *beth a ddigwyddodd* a beth ydy *ystyr* hynny.

Pan edrychwch chi ar eich tabl, efallai y gwelwch chi *batrwm* rhwng y newidyn a newidiwyd a'r hyn a fesurwyd. Cofiwch mai synnwyr cyffredin ydy *diogelwch* yn eich gwaith ymarferol, a gofalu dilyn y *rheolau*.

Arddangos Eich Canlyniadau

Canlyniadau mewn *graffiau* a *siartiau*

Mae graffiau a siartiau yn *arddangos* eich canlyniadau fel llun. Mae ganddyn nhw *ddwy echelin*, ac mae'n bwysig gwybod *beth mae pob echelin yn ei ddangos* yn ogystal â *graddfa'r echelin*.

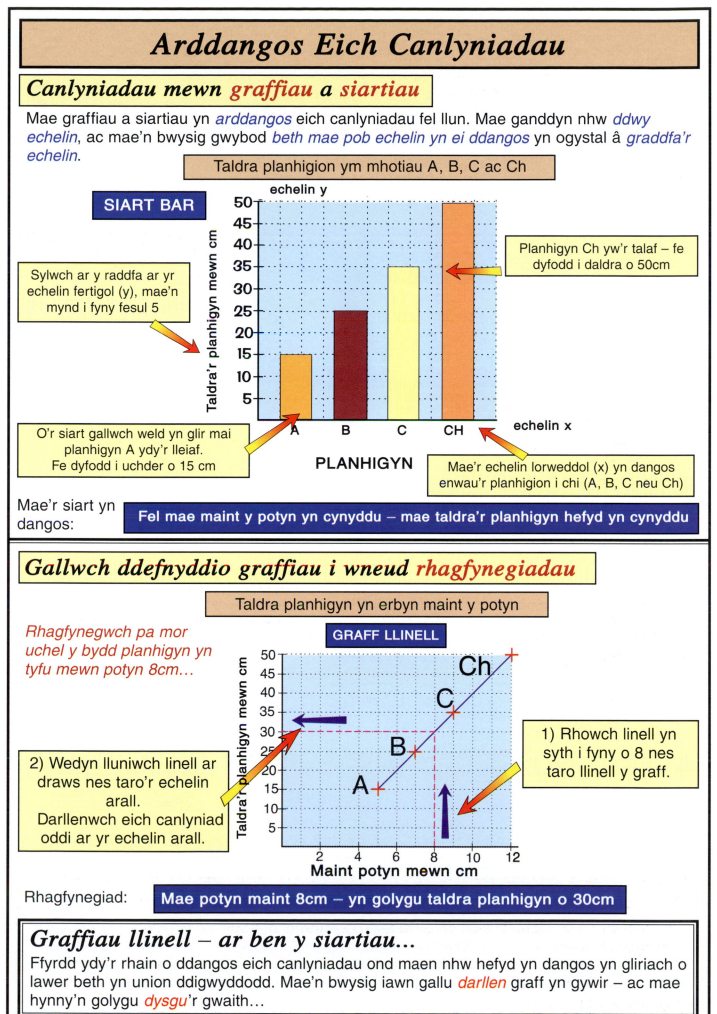

Taldra planhigion ym mhotiau A, B, C ac Ch

SIART BAR

Sylwch ar y raddfa ar yr echelin fertigol (y), mae'n mynd i fyny fesul 5

Planhigyn Ch yw'r talaf – fe dyfodd i daldra o 50cm

O'r siart gallwch weld yn glir mai planhigyn A ydy'r lleiaf. Fe dyfodd i uchder o 15 cm

Mae'r echelin lorweddol (x) yn dangos enwau'r planhigion i chi (A, B, C neu Ch)

Mae'r siart yn dangos:

Fel mae maint y potyn yn cynyddu – mae taldra'r planhigyn hefyd yn cynyddu

Gallwch ddefnyddio graffiau i wneud *rhagfynegiadau*

Taldra planhigyn yn erbyn maint y potyn

Rhagfynegwch pa mor uchel y bydd planhigyn yn tyfu mewn potyn 8cm...

GRAFF LLINELL

1) Rhowch linell yn syth i fyny o 8 nes taro llinell y graff.

2) Wedyn lluniwch linell ar draws nes taro'r echelin arall. Darllenwch eich canlyniad oddi ar yr echelin arall.

Rhagfynegiad:

Mae potyn maint 8cm – yn golygu taldra planhigyn o 30cm

Graffiau llinell – ar ben y siartiau...

Ffyrdd ydy'r rhain o ddangos eich canlyniadau ond maen nhw hefyd yn dangos yn gliriach o lawer beth yn union ddigwyddodd. Mae'n bwysig iawn gallu *darllen* graff yn gywir – ac mae hynny'n golygu *dysgu*'r gwaith...

Fy Nghasgliadau

Mae arbrawf yn gorffen gyda *chasgliad*

1) Brawddeg sy'n *crynhoi'r* hyn rydych wedi'i *ddarganfod* yn eich *arbrawf* ydy *casgliad*. Dylai fod yn gysylltiedig â nod yr arbrawf.

2) Gallwch yn aml ysgrifennu eich casgliad yn syml iawn. Rhaid i chi egluro sut mae *un peth yn newid* wrth i chi *newid rhywbeth arall*.

3) *PEIDIWCH* â dim ond disgrifio'ch canlyniadau.

Yn ein hesiampl o arbrawf –

Po fwy*af* y potyn, y tal*af* ydy'r planhigyn

Da   da   da

"Mae potyn mawr yn cynhyrchu planhigyn mawr"

Drwg   drwg   drwg

Defnyddiwch air ......af

Os meddyliwch bod dweud "........af" mewn prawf yn newydd drwg – meddyliwch eto. Mae arholwyr wrth eu bodd gyda geiriau "..........af"

Edrychwch ar yr esiamplau hyn o gasgliadau bachog:

> Po *dynnaf* y llinyn, yr *uchaf* y nodyn.
> Po *gyflymaf* y trowch, y *cyflymaf* y mae'n hydoddi.
> Po *galetaf* y curwch y drwm, y *cryfaf* y sŵn.
> Po *boethaf* y tymheredd, y *cyflymaf* y mae'r rhew'n ymdoddi.
> Po *fwyaf* y weindiwch y llygoden, y *pellaf* y mae'n teithio.
> Po *fwyaf* o bres poced a gewch gan eich rhieni, y *mwyaf* a wariwch...

Gwnewch eich casgliadau'n fachog

Pan ofynnir i chi sut mae rhywbeth yn dibynnu ar rywbeth arall, neu sut mae rhywbeth yn effeithio ar rywbeth arall, yna mae angen ateb brathog, fel hwn...

Glywes i'r gair brathog?

Po orau y dysgwch hwn, – yr uchaf fydd y marciau a gewch

Peidiwch â gadael i'r casgliadau yma eich drysu

Mae'r cyfan o'r gwaith yma ynglŷn â gallu adnabod patrwm yn eich canlyniadau a gallu egluro beth ydyw, fel bod pawb yn eich deall. Cofiwch ei bod yn *well ysgrifennu* "Po fwyaf y potyn, y talaf y planhigyn" *na* "Mae potyn mawr yn cynhyrchu planhigyn mawr". Mae'r ateb cyntaf yn cynnwys *yr holl* bosibiliadau ac yn siŵr o gael *gwell marciau* – felly, defnyddiwch eiriau "......af" neu eiriau fel *mwy* neu *lai*. Os soniwch am botyn *mawr*, fydd neb yn gwybod *pa mor* fawr ydych chi'n feddwl. Iawn!

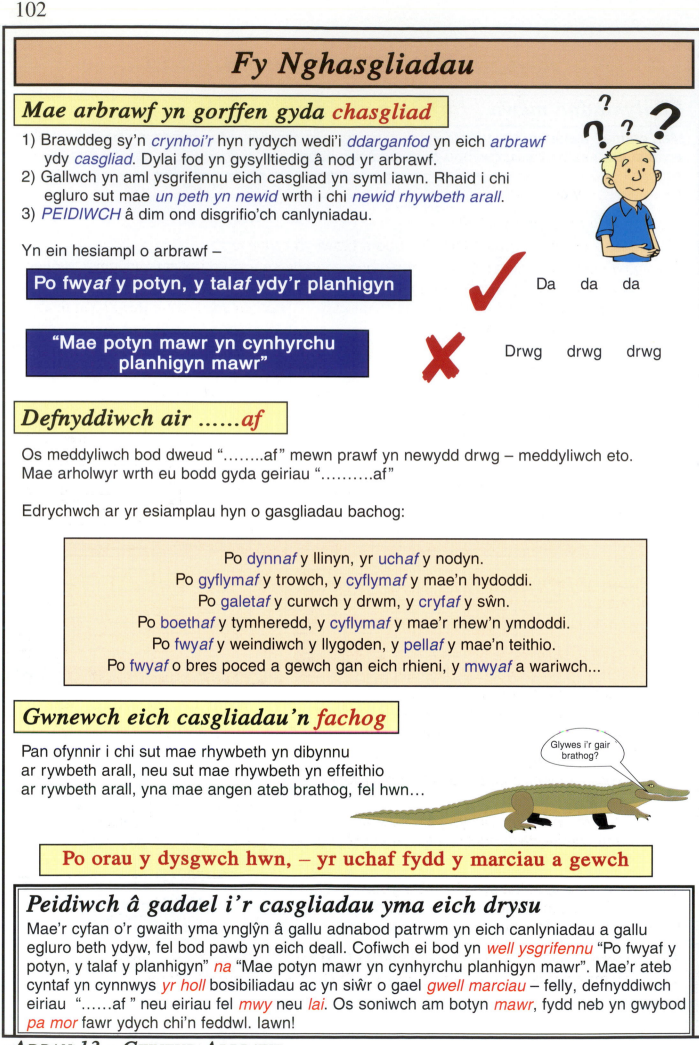

Adolygu Adran 13

Mae'r adran hon o'r llyfr ychydig yn wahanol i'r lleill. *Ffeithiau*, gan fwyaf, sydd ar dudalennau cyntaf yr adran, yn anffodus. Rhaid i chi ddysgu'r rhain, ond mae yna rai esiamplau i chi gael eich dannedd ynddyn nhw. Rhaid i chi hefyd allu cymhwyso'r hyn a ddysgoch i lawer o bethau gwahanol. Mae yna bob amser lwythi o gwestiynau sy'n gofyn am *lenwi tablau*, *darllen tablau* a *darllen graffiau* a *siartiau* mewn profion. Ceisiwch ymarfer yr esiamplau a geir ac wedyn ceisiwch ateb y cwestiynau. Cofiwch mai *WRTH YMARFER MAE PERFFEITHIO.*

1) Beth ydy *"nod"* arbrawf?

2) Sut byddech chi'n gwneud yn siŵr bod arbrawf yn *brawf teg*?

3) Pe byddech chi eisiau canfod faint o amser mae halen yn ei gymryd i hydoddi ar *wahanol dymereddau*, sut byddech chi'n gofalu bod yr arbrawf yn *brawf teg*?

4) Pa *offer* fyddech chi'n eu defnyddio i ganfod pa mor boeth ydy bicer o ddŵr? Ym mha *unedau* y byddai eich ateb?

5) Pa *offer mesur* fyddech chi'n eu defnyddio i ganfod faint o amser mae siwgr yn ei gymryd i hydoddi? Ym mha *unedau* y byddai eich ateb?

6) Beth ydy *unedau màs*? Beth fyddech chi'n ei ddefnyddio i *fesur* màs?

7) Gwnaeth rhai plant arbrawf i ganfod *pa mor gyflym y byddai ciwb iâ yn ymdoddi*. Ar y dechrau roedd yn pwyso 50g. Ar ôl 5 munud roedd yn pwyso 30g, ar ôl 15 munud 10g ac ar ôl 20 munud roedd wedi diflannu'n llwyr. Rhowch y canlyniadau hyn yn y *tabl* gyferbyn. Mae rhai canlyniadau wedi eu rhoi i chi.

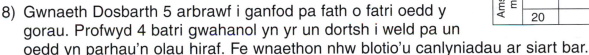

8) Gwnaeth Dosbarth 5 arbrawf i ganfod pa fath o fatri oedd y gorau. Profwyd 4 batri gwahanol yn yr un dortsh i weld pa un oedd yn parhau'n olau hiraf. Fe wnaethon nhw blotio'u canlyniadau ar siart bar.

a) Pa fatri oedd y *gorau*?
b) Pa fatri oedd y *gwaelaf*?
c) Am faint wnaeth y batri cyffredin bara?

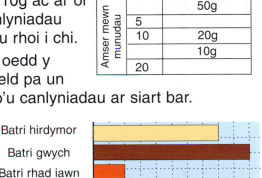

9) Gwnaed arbrawf gyda blocyn o bren a nifer o lethrau 1metr o hyd, ond o uchder gwahanol. Anfonwyd y blocyn i lawr bob llethr yn ei dro a mesurwyd y pellter y teithiodd bob tro y tu hwnt i waelod pob llethr. Gwnaed hyn i weld a oedd newid uchder y llethr yn newid y pellter y teithiai'r blocyn.

a) Allwch chi ragfynegi *pa mor bell* y byddai'r blocyn yn teithio pe bai uchder dechreuol y llethr yn *10cm*?
b) *Pa mor bell* mae'r blocyn yn teithio pan fydd uchder dechreuol y llethr yn *0cm*? *Pam*?

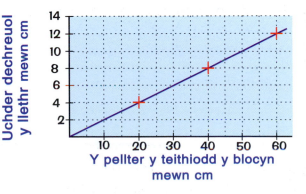

Ysgrifennwch gasgliadau syml i'r ddau gwestiwn nesaf. – Os cewch drafferth, ewch i'r adran berthnasol yn y llyfr hwn.

10) Sut bydd *tymheredd* ystafell yn effeithio ar gyfradd ymdoddi ciwb o iâ ynddi?

11) Sut y mae *lleoliad yr Haul* yn yr awyr yn effeithio ar hyd cysgod coeden?

Atebion

Adran 1

1) Symudiad, atgenhedlu, sensitifrwydd, maethiad, ysgarthiad, resbiradaeth a thwf.
2) "SASMYRT".
3) Mae'n gwneud pob un o saith proses bywyd.
4) Cywir.
5) Maen nhw'n gwneud y saith proses bywyd.
6) Atgenhedlu.
7) Ocsigen.
8) Ysgarthiad.
9) Maen nhw'n sylwi ar newidiadau yn eu hamglchedd ac yn ymateb iddynt. Mae babanod ac eginblanhigion yn tyfu i'w llawn dwf.
10) Celloedd.
11) Celloedd.
12) Cywir.
13) a) byw b) marw c) erioed wedi byw ch) marw d) marw dd) byw e) marw f) erioed wedi byw.

Adran 2

1) Dail, gwreiddiau, coesyn, blodyn.
2) Rhaid i anifeiliaid fwyta i gael bwyd, mae planhigion yn gwneud eu bwyd eu hunain.
3) Gwneud rhywbeth allan o oleuni. Mae planhigion yn gwneud bwyd drwy ffotosynthesis.
4) Carbon deuocsid.
5) Ocsigen.
6) Yn y dail.
7) Mae'r rhan fwyaf yn digwydd yn y dydd.
8) Dŵr a mwynau.
9) I'w helpu i dyfu'n dda.
10) Yn y blodyn.
11) Gronyn paill.
12) Peilliad.
13) Peilliad sy'n digwydd gyntaf.
14) Gwynt yn chwythu'r paill ar y stigma, neu bryfed yn cario'r paill i'r stigma.
15) Persawr a phetalau lliwgar.
16) Neithdar.
17) Does dim angen iddyn nhw ddenu pryfed.
18) Bychan, di-liw, dim persawr.
19) I helpu'r paill gydio ynddo.
20) Ffrwythloniad.
21) Mae'r blodyn yn marw ac yn disgyn i ffwrdd.
22) Mae'r ofari'n datblygu'n ffrwyth.
23) Mae gwasgariad yn atal gorlenwi.
24) Gan y gwynt, gan anifeiliaid neu drwy ffrwydrad.
25) Mae'n hollti'n agored ac mae'r hadau'n saethu allan.
26) Mae'r hadau'n cael eu gwneud yn y blodyn.
27) Hedyn yn dechrau tyfu.
28) Dŵr, cynhesrwydd ac aer.
29) Does dim angen golau ar yr hadau i egino.

Adran 3

2) Ocsigen a bwyd.
3) Yr ysgyfaint a'r arennau.
4) Tu fewn i'r corff.
5) I gynnal y corff, i amddiffyn organau ac i ganiatáu symud.
6) Tendonau.
7) Gewynnau.
8) Mae'n ymlacio (llaesu).
9) Rhydwelïau, gwythiennau a chapilarïau.
10) Capilarïau.

11) Y galon.
12) Mae'r gwaed yn mynd â'r ocsigen i ffwrdd ac yn rhoi carbon deuocsid yn ôl.
13) Rhydwelïau.
14) Pibell wynt.
15) Curiad y galon.
16) Tua 70.
17) Blaenddannedd, dannedd llygad a childdannedd.
18) a) blaenddannedd b) cilddannedd, c) dannedd llygad.
19) a) bwyta planhigion ac anifeiliaid b) bwyta anifeiliaid c) bwyta planhigion.
20) Dannedd sugno.
21) Deunydd gludiog ar ddannedd sy'n cael ei achosi gan facteria'n bwyta'r siwgr yn y geg.
22) Enamel.
23) Pedwar o blith: brwsio'r dannedd ddwywaith y dydd, defnyddio edau ddeintiol, yfed dŵr sydd wedi ei fflworeiddio, ymweld â'r deintydd yn rheolaidd, bwyta'r bwyd cywir.
24) Baban, plentyn, person ifanc (glasoed), oedolyn.
25) Bechgyn: Blew'n tyfu ar y corff, blew'n tyfu ar yr wyneb, ceilliau'n dechrau cynhyrchu sberm.
Merched: Blew'n tyfu ar y corff, bronnau'n datblygu, cluniau'n agor allan, ofarïau'n dechrau rhyddhau wyau, mislif yn dechrau.
26) Colli gwaed yn fisol o'r groth.
27) Startsh, siwgrau, proteiniau, brasterau, fitaminau, ffibrau a dŵr.
28) Brasterau a charbohydradau.
29) Mae ymarfer corff yn cryfhau'r cyhyrau, yn datblygu'r ysgyfaint, yn helpu cydsymud y corff, yn defnyddio bwyd ac yn eich helpu i gysgu.
30) Mae ysmygu yn achosi canser yr ysgyfaint, ac mae alcohol yn niweidio'r iau/afu.
31) Germau.
32) Bacteria a firysau.
33) Burum gaiff ei ddefnyddio i wneud bara a chwrw, rhai bacteria a ddefnyddir i wneud finegr, caws, a iogwrt.
34) Ffliw, brech yr ieir, tetanws, polio, AIDS etc.
35) Golchwch eich dwylo cyn bwyta, cadwch gig amrwd oddi wrth gig wedi ei goginio, cadwch fwyd yn yr oergell, cynheswch y bwyd yn iawn wrth goginio, gorchuddiwch y bwyd.
36) Golchwch eich dwylo ar ôl bod yn y toiled. Peidiwch â thisian a phesychu ar bobl.
37) Brechiadau a moddion gwrthfiotig.

Adran 4

2) Anifeiliaid a phlanhigion.
3) Fertebratau ac infertebratau.
4) Ag asgwrn cefn.
5) Pysgod, amffibiaid, ymlusgiaid, adar a mamolion.
6) Pryfed, arachnidau a molwsgiaid.
7) a) pysgod b) adar c) ymlusgiaid ch) mamolion d) amffibiaid.
8) Adar a mamolion.
9) Ymlusgiaid, amffibiaid a physgod.
10) Mamolion.
11) Pryfed.
12) Pryf copyn/corryn: 8 coes a 2 ran i'r corff. Morgrugyn: 6 coes a 3 rhan i'r corff.
13) Planhigion sy'n blodeuo a phlanhigion sydd ddim yn blodeuo.
14) Sborau.
15) Bythwyrdd.
16) Mewn conau.

Atebion

17) Maen nhw'n disgyn yn y gaeaf.
18) Onnen, derwen, ffawydden, bedwen, helygen, castenwydden, etc.

Adran 5

1) Cynefin.
2) Bwyd, cysgod, a rhywle i fagu'r rhai bach.
3) Llygaid a ffroenau'n cau dan y dŵr, traed gweog, blew hir o gwmpas ei geg.
4) Mae'r gynffon drwchus yn help iddi gydbwyso ar frig y coed.
5) Gwraidd hir, coesynnau tew a dail tenau nodwyddog.
6) Un o'r rhain: Corff llilinol, clustiau bach, haenau o fraster, ffwr olewog neu draed gweog.
7) Un o'r rhain: Cynffon hir a bysedd traed mawr, clustiau mawr, ffwr tenau neu'n dod allan yn y nos.
8) Corff llilinol, tagellau, esgyll, mannau sensitif i ganfod bwyd a symudiad.
9) Llygaid a ffroenau uwchben y dŵr, traed gweog, coesau ôl cryf, croen llaith, ceg lydan a thafod gludiog.
10) Blew i afael, croen llaith, pen pigfain.
11) Corff fflat, platiau gwarchodol, teimlyddion mawr.
12) a) deilen b) 3 c) aderyn, pryf genwair/mwydyn, cath
   ch) aderyn d) pryf genwair/mwydyn, dd) aderyn e) cath
   f) cath ff) aderyn, cath.
13) "Yn fwyd i"
14) Ysglyfaeth.
15) Ysglyfaethwr.
16) Gwe fwyd.

Adran 6

1) Priodweddau defnyddiol gwahanol.
2) Am ei fod yn gryf.
3) Am ei fod yn hyblyg.
4) Plastig – ysgafn, cryf, hawdd ei siapio, gwrth-ddŵr.
5) Cwpanau plastig, rhai teganau, cynwysyddion bwyd plastig, etc.
6) …o ddefnyddiau.
7) Glo, olew, craig, metel.
8) O waith dyn.
9) Llestri, briciau.
10) Gwydr, papur wedi ei ailgylchu.
11) b).
12) Metelau.
13) Rhywbeth sydd ddim yn gadael i wres deithio drwyddo'n hawdd.
14) Metelau.
15) b).
16) Hawdd ei siapio, yn arnofio, cryf ond hyblyg, ynysydd trydan, ynysydd gwres.
17) Ysgafn, ond anodd cael ei wared.
18) Ffibrau.
19) Mae'n synthetig.
20) Gwydr.
21) Yn y ddaear, wedi'u cymysgu gyda'r creigiau.
22) Cryf a gwydn, sgleiniog, hawdd eu siapio, yn gwneud sŵn wrth eu taro, gellir eu hailgylchu, mae rhai'n fagnetig, yn dargludo gwres a thrydan.
23) Haearn, copr, tun, alwminiwm, sinc, pres etc.
24) Mae rhai'n galetach na'i gilydd, mae rhai'n athraidd.
25) Creigiau wedi malu, hwmws, aer a dŵr.
26) Mae'n gadael i ddŵr fynd drwyddo.
27) Solidau, hylifau a nwyon.
28) Y darnau bach y gwnaed popeth ohonyn nhw.

29) Nwy.
30) Rydw i'n llifo, rydw i'n cymryd siâp y cynhwysydd y tywelltir fi iddo.

Adran 7

1) Mae'n hydoddi.
2) Cymysgedd o solid a hylif, pan fydd y solid wedi hydoddi yn yr hylif i wneud hylif newydd.
3) Ychwanegu mwy o ddŵr.
4) Byddai'r olew yn arnofio ar y dŵr. Wnân nhw ddim cymysgu.
5) Mae peth o'r pridd yn suddo i'r gwaelod a pheth yn arnofio o gwmpas yn y dŵr.
6) Hylif.
7) Pobi cacen, llosgi pren etc.
8) Mae'n troi'n solid.
9) Thermomedr.
10) Thermomedr.
11) a) 100°C b) 0°C.
12) Anwir (byddai wedi rhewi'n gorn). Graddau o dan y rhewbwynt.
13) Rhew/iâ, dŵr, ager.
14) Mae rhew/iâ yn cymryd mwy o le na dŵr.
15) Mae yna "groen" tenau ar wyneb y dŵr.
16) Defnynnau bychain o ddŵr yn hongian yn yr acr.
17) Mae ager yn boeth iawn ac yn anweledig.
18) Maen nhw'n anweddu wrth iddi gynhesu.
19) Gadewch yr hydoddiant ar ddysgl lydan mewn lle cynnes.
20) Anwir. Mae nwy'n cyddwyso yn hylif wrth iddo oeri.
21) Mae dŵr yn anweddu o'r môr, yn cyddwyso ac yn disgyn fel glaw ar y tir cyn llifo'n ôl i'r môr unwaith eto.
22) b).
23) Dŵr yn rhewi, hufen iâ'n ymdoddi.
24) Maen nhw'n pydru.
25) Pren, glo, olew, nwy, golosg, etc.
26) Rhaid iddyn nhw losgi.
27) Bwyd.

Adran 8

1) a) papur hidlo b) magnet c) gogr ch) llwy (a gwres).
2) Ardywallt.
3) Ydy.. ond y ffordd groes! Mae magnetau'n atynnu hoelion.
4) Ar ben y tywod.
5) Cylch.
6) Siâp côn.
7) All y mwd ddim mynd drwy'r tyllau bach yn y defnydd.
8) Mae'r dail te'n aros tu fewn. Mae blas y te'n hydoddi yn y dŵr ac yn dod allan.
9) Siwgr, halen.
10) Anhydawdd.
11) Mae'r siwgr neu'r halen wedi hydoddi yn y dŵr.
12) Gwresogwch yr hydoddiant ac anweddwch yr halen. Cyddwyswch y dŵr os dymunwch.
13) Byddai blas y te'n llithro drwy'r papur hidlo a'r dail te'n aros ar ôl.
14) Anweddwch y dŵr.
15) Ar arwyneb oer.
16) a).
17) Cromatograffaeth.

Adran 9

1) Bylbiau trydan, teledu, radio, peiriant golchi, haearn smwddio etc.

Atebion

2) Mae'n eu gwneud yn gludadwy – gallwch eu cario o gwmpas.
3) Diogelwch – cewch sioc drydan.
4) Mae'r dŵr ar eich dwylo'n dargludo trydan yn dda.
5) Fel na allwch gyffwrdd y switsh â dwylo gwlyb.
6) I ddargludo trydan.
7) Fel ynysydd.
8) Er mwyn iddyn nhw gael eu hynysu os oes nam.
9) Wnaiff trydan ddim llifo.
10) Dylech.
11) Bwlb, swnyn, modur.
12) Y ddwy wifren wedi eu cysylltu i'r un pen o'r batri. Y wifren yn cyffwrdd gwydr y bwlb ac nid y metel. Dim ond un wifren i'r bwlb neu'r batri. Y bwlb wedi ffiwsio neu'r batri'n fflat.
13) Dim cerrynt.
16) Pan fydd llwybr byr i gerrynt sy'n ei atal rhag llifo drwy'r bwlb.
17) Mae'n creu bwlch yn y gylched pan fydd y switsh ar agor ac yn gadael i gerrynt lifo eto pan fydd y switsh ar gau.
18) Ar agor.
20) Y bwlb yn fwy llachar.
21) Y bwlb yn ffiwsio.
22) Rhoi llai o fatrïau, mwy o fylbiau neu wifren hirach.

Adran 10

1) Gwthio a thynnu.
2) Newid cyfeiriad, cyflymu, newid siâp, arafu.
3) Newtonau.
4) Mesurydd newtonau neu glorian sbring.
5) Grym rhwng pethau sy'n cyffwrdd.
6) Llyfn.
7) Ffrithiant.
8) I'n hatal rhag disgyn ac i'n helpu i gychwyn a stopio.
9) Garw.
10) Gwres.
11) Grym yr aer yn gwthio'n ôl wrth i rywbeth symud drwyddo.
12) Llilinol.
13) Parasiwt – mae arwynebedd mawr i'w arwyneb.
14) Disgyrchiant. Na, gallwch ei deimlo ym mhobman.
15) Drwy guro'u hadenydd.
16) Gwthio'n ôl.
17) Disgyrchiant a brigwth.
18) Grym aer neu ddŵr neu wrthrych solid yn gwthio i fyny; mae'n dibynnu faint o ddŵr sydd wedi cael ei wthio o'r neilltu.
19) Mae'r cwch yn gwthio mwy o ddŵr o'r neilltu.
20) Mae'n dadleoli mwy o ddŵr, felly mae'r brigwth o'r dŵr yn ddigon i gydbwyso grym disgyrchiant.
21) Brigwth a disgyrchiant.
22) Wnaiff yr un o'r ddau symud.
23) Bydd tyniad disgyrchiant yn fwy na'r brigwth fydd yn eich gwthio i fyny ac felly byddwch yn disgyn.
24) Pan fydd y polau'n debyg.
25) Pan fydd y polau'n wahanol.

Adran 11

1) Cannwyll, tortsh, yr Haul.
2) Mae'r golau'n adlewyrchu oddi ar yr arwyneb llyfn.
3) b).
5) Drwy i wrthrychau di-draidd sefyll yn ffordd pelydrau goleuni.
6) Rhowch eich llaw yn agos i'r golau.
7) Y lleiaf ydy'r cysgod.

8) Canol dydd.
9) Dim goleuni'n mynd drwyddo. Pren.
10) Gall goleuni fynd drwyddo ond allwch chi ddim gweld drwyddo. Papur sidan.
11) Gallwch weld drwyddo. Gwydr.
12) Mae goleuni'n adlamu oddi ar yr arwyneb sgleiniog.
13) Rhai llyfn a sgleiniog.
14) Rhai pŵl a thywyll.
16) Perisgop.
17) Ar yr un ongl.
18) Drwy i rywbeth ddirgrynu.
19) Aer, dŵr, gwydr, bricsen, carreg.
20) Gwactod – does dim i ddirgrynu.
21) Mae rhywbeth yn dirgrynu – mae aer yn dirgrynu – yna mae tympan y glust yn dirgrynu.
22) Recorder bach.
23) Pa mor uchel neu mor isel ydyw.
24) Mae'r hyn sy'n dirgrynu – yr aer yn y botel – yn fyrrach.
25) i) Drwy ei daro'n galed.
    ii) Drwy adael darn hir o'r pren mesur dros ymyl y ddesg a'i daro.
26) Drwy ei dynhau.

Adran 12

1) Yr Haul.
2) Disgyrchiant yr Haul.
3) Sfferig.
4) Yr Haul, blwyddyn.
5) Y Ddaear, 28 diwrnod.
6) Yr Haul, y Ddaear, y Lleuad.
7) Gwannach.
8) Gwelwn wahanol feintiau o arwyneb goleuedig y Lleuad wrth iddi deithio yn ei horbit o gwmpas y Ddaear.
9) Rhwng yr Haul a'r Ddaear (neu pan fydd uwchben ochr arall Y Ddaear e.e. Awstralia).
10) Mae'n troi o gwmpas ar ei hechelin ei hun ac o gwmpas yr Haul.
11) 1 diwrnod.
12) Dim ond un ochr i'r Ddaear sy'n cael ei goleuo gan yr Haul wrth iddi droelli ar ei hechelin.
13) Nac ydy.
14) Nac ydy, mae'n aros yng nghanol Cysawd yr Haul.
15) Mae'n codi yn y Dwyrain ac yn machlud yn y Gorllewin.
16) Ganol dydd, mae'r Haul yn uchel yn yr awyr.
17) Cawn dymhorau.
18) Haf.
19) Mae'r haul yn is yn yr awyr a'r dyddiau'n fyrrach.
20) Haf.
21) Gaeaf, mae'r Haul yn isel yn yr awyr.

Adran 13

1) Nod – pwrpas arbrawf. Beth ydych i fod i'w ddarganfod.
2) Fyddech chi ddim ond yn newid un newidyn ar y tro.
3) Byddech yn defnyddio'r un faint o halen a'r un faint o ddŵr bob tro.
4) Thermomedr, °C.
5) Stopwatsh, eiliadau.
6) Gramau/cilogramau – clorian.
8) a) batri gwych b) batri rhad iawn c) 5 awr.
9) a) 50cm.
    b) Ni fyddai'n symud gan nad oes llethr.
10) Po boethaf y tymheredd, y cyflymaf mae'r ciwb iâ'n ymdoddi.
11) Po uchaf yr Haul yn yr awyr, y byrraf ydy'r cysgod.

Mynegai

A

adlewyrchu 98
ager 4, 41
anghildroadwy 72
ailgylchu / ailddefnyddio 50, 52, 53
alcohol 23
algâu 29
allwedd 41
amddiffyn 16
amgylcheddau 32
amodau 32, 72
amrywiad 41
amsugno 13
amsugnol 44
anathraidd 54, 72
anhyblyg 44
anhydawdd 70
anialwch y Sahara 33
anweddu 60, 65, 72
arafu 79
ardywallt 67, 72
arennau 12
arnofio 45
arsylwadau 100
arwynebedd 98
asgwrn cefn 41
asteroidau 93
atgenhedlu 1, 7, 20, 41
atyniad 84
atynnu 84
athraidd 54, 72

B

bacteria 24
batri 73, 98
berwbwynt 72
bioddiraddadwy 50
blaenddannedd 18, 41
blodyn 4
brasterau 22
brechiadau 25
briger 7, 41
brigwth 81, 82, 98
burum 24
bwyd planhigol 41
byw'n iach 22

C

cadwyn fwyd 36, 41
caled 44
calon 12, 16
canlyniadau 100
capilarïau 16
carbohydradau 22, 41
carbon deuocsid 72
carpel 7, 41
casgliad 102
cell 2, 41, 98
cerigos 54
cigysyddion 18, 41
cilddannedd 18, 41
clai 42
clefyd 24
clorian sbring 79
cloroffyl 4, 5, 41
clustiau 12
clymfeini 54
codiad haul 98
coesyn 4, 41
coginio 62
colandr 68
colofnig 7, 41
comedau 93
concrit 43
conwydd 29
cotwm 42
craig 42
cromatograffaeth 69
croth 20
cryf 44
crynodedig 59
curiad y galon 41
cydran 74, 98
cyddwysiad 65, 69, 72
cyddwyso 60
cyfangu 15, 41
cyflwr 64, 72
cyflymu 79
cyfradd curiad y galon (pwls) 41
cyffuriau 23
cyffyn 10
cyhyrau 12, 15, 41
cylchdroi 98
cylched gyflawn 98
cylchedau trydanol 74

cylchred bywyd 41
cylchred ddŵr 65, 72
cymalau 15
cymryd siawns gyda'ch iechyd 23
cymysgedd 59, 72
cynefin 32, 41
cynhyrchydd 36, 41
Cysawd yr Haul 93, 98
cysgodion 88, 95, 98
cywasgu 45

D

dail 4
dannedd 18
dannedd llygad 18, 41
dargludo trydan 47
dargludydd 47, 72, 98
defnyddiau 42, 72
deintydd 19
diagram cylched 75, 98
di-draidd 45, 88, 98
diet cytbwys 22, 41
dirgryniad 91, 98
dirgrynu 90
disgyrchiant 81, 98
dosbarthiad 41
dosbarthu pethau byw 27
drych 89, 98
dŵr 64, 98
dydd a nos 95

Dd

Ddaear, Y 93

E

echelin 95, 98, 101
eginiad 10, 41
embryo 20

F

fertebrat 27, 41
firws 41
fitaminau 22

Ff

ffabrig 51, 72
ffibr 22, 51
ffilament 7

fflworid 19
ffosiliau 54
ffotosynthesis 5, 41
ffrithiant 80, 98
ffrwyth 9
ffrwythloniad 8, 20, 41
ffyngau 29
ffynhonnell goleuni 86, 98
ffynhonnell pŵer 74

G

gafael 80
germ 24, 41
glasoed 21, 41
gofod 93
gogru 67
graddau Celsius °C 72
graffiau a siartiau 101
grym 79, 98
grym disgyrchiant 81
grymoedd anghytbwys 84
grymoedd cytbwys 83, 98
gwactod 90, 98
gwahaniaethau a thebygrwydd 27
gwanedu 59, 72
gwannaf 77
gwasgariad 9, 41
gwastraff 13
gweoedd bwydydd 39, 41
gwifren gwrthiant 77
gwlân 42
gwreiddiau 4, 6, 10, 41
gwrth-ddŵr 44
gwrthiant aer 80, 98
gwrthiant dŵr 98
gwrthyriad 84
gwrthyrru 84
gwthio 79
gwydr 43, 52
gwydr ffibr 42
gwythïen 16, 41

H

hadau 7
Haul 93
heb hydoddi 70, 72
heliwm 72

Mynegai

hidlo 68, 72
hwmws 55
hyblyg 44
hydawdd 70
hydoddi 59, 70
hydoddiant 59, 72
hylif 56, 72

I
iau (neu afu) 12
infertebratau 28

Ll
llachar 77
llaesu 15, 41
lledr 42
lleuad 93
lleuad lawn 94
lleuad newydd 94
llilinio 80
llosgi 63
llygaid 12
llysysyddion 18, 41

M
machlud haul 98
maethiad 1, 41
maetholynnau 6, 41
magnetau 48, 84
magnetig 48, 72
mesurydd grym 98
mesurydd newtonau 79, 98
metel 42, 47, 53
microb 24, 41
microsgop 2
mislif 21
moddion gwrthfiotig 25
mowldio 44
mwynau 6, 22, 41

N
naturiol 42
neilon 42
neithdar 8
newid cemegol 62, 72
newid cyfeiriad 79
newid cyflwr 72
newid cylchedau syml 76

newid siâp 79
newidiadau cildroadwy 60, 72
newidiadau ffisegol 60
newton 79, 98
nwy 56, 72
nwy naturiol 72

O
ocsigen 16, 72
ofari 7, 41
offer trydan 73, 98
olew 42
orbit 93, 94, 96, 98
organ 12, 41
organeb 41
organebau byw 1

P
paent 43
paill 41
papur 43, 49
parasiwt 80
patrwm 100
Pegwn y Gogledd 33
peillio 8, 41
pelydrau goleuni 87, 98
penglog 41
perisgop 89, 98
plac 19
planedau 93
plastig 42, 50
pledren 12
pôl de 48
pôl gogledd 48
prawf teg 99
pren 49
pren caled 42
pridd 55
priodweddau 44, 72
priodweddau goleuni 86
priodweddau metelau 53
proteinau 22, 41
pur 72
pwls 17, 41
pwmp 17
pwysau 98
pydredd dannedd 19

R
resbiradu 1, 41
rwber 42

Rh
rhagfynegiadau 101
rhedyn 29
rheolau diogelwch 47, 73
rhew 64
rhewi 60, 61, 72
rhy dal 6
rhydwelïau 16, 41

S
sain 90, 98
saith proses bywyd 1
SASMYRT 1
sberm 20
sensitif 1
sepal 41
sffêr 98
sgerbwd 12
sgîl-effaith 41
siartiau 101
sidan 42
siwgrau 22, 41
solid 56, 72
startsh 22, 41
stigma 7, 8, 41
stumog 12
suddo 45
sut gallwn weld 87
switsh 77, 98
symbol cylched 98
symud 1
synnwyr cyffredin 100
synthetig 42, 51
system cylchrediad 16

T
tanwydd 63
te 68
teisen 62
tendon 41
tiwnio 98
traw 91
trawsyrru 90
troelli 98
troi 70

trydan 73
tryleu 88
tryloyw 45, 88
tyfu 1
tymheredd 72
tymheredd ystafell 72
tymhorau 96
tympan y glust 90, 98
tyniad 79
tyniant 98
tynn 98

Th
thermomedr 72

W
wedi addasu 33, 41
wy 20
wyau wedi sgramblo 62

Y
ymarfer 17, 22
ymdoddi 60, 61, 72
ymennydd 12
ymestyn 45
ymlacio 15, 41
ymladd clefydau 25
ymsolido 72
ynysydd 47, 72, 98
ysgafn 50
ysgarthu 1, 13, 41
ysglyfaeth 37, 41
ysglyfaethwr 37, 41
ysgyfaint 12, 16, 17
ysmygu 23
ysyddion 36, 41